# FOREVER FE

# FOREVER FE

## La Historia de Abe Cruz

## Mente de Campeones

**Por Abe Cruz**

**y**

**Jeanette Windle**

# Copyright © 2020 por Abe Cruz y Jeanette Windle

**Libro impreso en español ISBN: 978-1-7358889-2-7**
**ebook en español ISBN: 978-1-7358889-3-4**
**Libro impreso en inglés ISBN: 978-1-7358889-0-3**
**ebook en ingles  ISBN: 978-1-7358889-1-0**

Forever Faith
Broken Arrow, OK
**www.foreverfaith.com**

Traducido por Keila Ochoa Harris
Diseño de portada por Jesty Leparto (jhezz31), **www.99designs.com**
Fotos de portada de Abe por **Kike San Martin Photography**.
Book y diseño y formato de **EBook por EBook Listing Services,**
**www.ebooklistingservices.com**

**Publisher's Cataloging-in-Publication Data**
Nombres: Cruz, Abe, author. | Windle, Jeanette, author. | Harris, Keila Ochoa, traductora.
Tíutlo: Forever fe : la historia de Abe Cruz , mente de campeones / por Abe Cruz y Jeanette Windle; Keila Ochoa Harris, traducción
Descripción: Broken Arrow, OK: Forever Faith, 2020.
Identificación: LCCN 2020919177 | ISBN 9781735888927
Temas: LCSH Cruz, Abe. | Biografía cristiana. | Hombres de negocios--Biografía. | Confianza en Dios--Cristianismo. | Material en español. | BISAC BIOGRAFÍA Y AUTOBIOGRAFÍA / MEMORIAS PERSONALES | BIOGRAFÍA Y AUTOBIOGRAFÍA / Religión | RELIGIÓN / Vida cristiana / Inspiracional
Subjects: LCSH Cruz, Abe. | Christian biography. | Businessmen--Biography. | Trust in God--Christianity. | Spanish language materials. | BISAC BIOGRAPHY & AUTOBIOGRAPHY / Personal Memoirs | BIOGRAPHY & AUTOBIOGRAPHY / Religious | RELIGIOUS / Christian Living / Inspirational
Clasificación: LCC BR1700.2 .C78018 2020 | DDC 248.84--dc23

FOREVER FAITH
1 3 5 7 9 10 8 6 4 2
Impreso en Estados Unidos de Norteamérica

# DEDICATORIAS

En primer lugar, dedico este libro a **DIOS**, mi verdadero Padre celestial, quien me dio una segunda oportunidad para proclamar su mensaje de fe a todo el mundo.

También lo dedico a **mi amorosa madre**, quien ha sido mi fortaleza. Ella me educó y me moldeó para ser el hombre que hoy soy. ¡Te amo, mamá!

Dedico este libro también a **Pops**, Fred Bassett. Pudiera escribir un libro entero de agradecimiento. Has sido un ángel enviado por DIOS y siempre has sido una bendición en mi vida y en la de mi familia. La única explicación es que DIOS nos unió para esta misión de inspirar y motivar al mundo. También a la esposa de Pops, **Janet**, gracias por estar a nuestro lado en las buenas y en las malas hasta el día de hoy. ¡Los amo a los dos!

Finalmente, dedico este libro a mi increíble, alentadora y hermosa esposa **Ha**, quien ha sacrificado mucho para que lleguemos a este momento, y a nuestros dos hijos, **Justin** y **Joshua**. Han sido testigos de este recorrido desde el inicio, y ha sido una bendición tenerlos a mi lado. ¡Los amo muchísimo!

# AGRADECIMIENTOS

Un agradecimiento especial por ser parte de mi vida y mi recorrido:

A mi hermano **David**. Gracias por ser un hermano tan increíble y de apoyo. Siempre has estado allí para mí en las buenas y en las malas, y jamás olvidaré tu arduo trabajo y sacrificio.

A mi hermana **Marta**. Gracias por estar siempre ahí para mí.

A **Ken Mendoza**, voluntario de la organización de *Hermano Mayor*, y su esposa **Rose**, por introducirnos a los deportes y darnos mucho amor.

A **Oscar Cepeida**, quien me enseñó a los once años lo que significa tener la mentalidad de un campeón, y a su esposa **Ofelia** y sus hijos **Olivia**, **Orlando**, **Omar** y **Oliver** quienes me abrieron las puertas de su hogar.

A **Hugo Cepeida**, su esposa **Amelia**, y sus hijos **André** y **Abel**, quienes me trataron como parte de su familia y fueron otra bendición en mi juventud.

A **Phil** y **Dolores Corona**, mi entrenador principal en el programa de fútbol americano de los *Bobcats del Este de Los Ángeles*, a sus hijas **Erin** y **Cindy**, y sus hijos **Phil Jr** y **Jeff**, quienes fueron como mis hermanos durante el bachillerato.

Al **entrenador Pitts** y al **entrenador Robbleto** de las *Panteras de Pasadena*, el primer equipo de deporte organizado en el que jugué.

A **Eli García**, mi entrenador de séptimo grado en *la primaria de Todos los Santos*, y su hijo **Jessie**, quienes fueron de gran influencia en mi vida.

Al **entrenador Duarte** y el **entrenador Rafino** de la *Preparatoria San Pablo*, mis entrenadores de primer año que nos guiaron a una temporada invicta. Gracias por enseñarme disciplina, sacrificio y ética de trabajo.

Al **entrenador Visko** y al **entrenador Jiménez**, mis entrenadores de fútbol júnior, y por las numerosas horas de entrenamiento, arduo trabajo y sacrificio que me ayudaron a ser un mejor jugador, y a final de cuentas, una mejor persona.

Al **entrenador Marijon Ancich**, quien consiguió el récord de mayores victorias de una preparatoria en California durante tres temporadas. Fui afortunado por jugar bajo su tutela.

A mi entrenador de baloncesto, **Randy Castillo**, quien llevó a *San Pablo* a su primer campeonato CIF, y a los entrenadores asistentes **Fox** y **Ertle**.

Al **entrenador Strop** y al **entrenador Miercort** de la *universidad de Wisconsin Stout* por creer que yo podía traer algo valioso a su programa de fútbol americano.

A **Jessi** y **Valerie Muñoz** por ser grandes modelos a seguir y darme un sistema de apoyo.

A **Art Cacciatori**, quien estuvo allí para mí en un tiempo difícil antes de ir a prisión.

A **Lonnie Tepper**, quien creyó que yo tenía un futuro en el mundo de fitness, antes que yo lo hiciera.

A la leyenda del fisicoculturismo, **Jay Cutler**, cuyo autógrafo me dio mucho ánimo mientras estaba en prisión.

A **Aura Duran**, por su amistad y las cartas que en prisión me mantuvieron optimista y pensando en mi futuro.

A **Joan Black**, quien apoyó mis sueños y me dio gran ánimo cuando trabajaba en el gimnasio *All American Fitness* en Tulsa después de salir de prisión.

Al **Dr. Luis Arriaza**, de quien aprendí mucho sobre cómo ser un exitoso emprendedor de negocios y a quien me siento honrado de llamar amigo.

A **Scott Matlock**, vicepresidente del *10 GYM*, por su disposición a arriesgarse y contratarme después de prisión, y darme así un nuevo comienzo en la vida.

A **John** y **Kathryn Helstrom**, pastor en el ministerio carcelario de la Prisión de Creek County en Sapulpa, Oklahoma, cuyo profundo amor hacia mí y otros prisioneros impactó grandemente mi vida.

A **José Miranda**, pastor en la iglesia de John Helstrom, quien ha sido mi amigo y mentor desde que nos conocimos.

A **Corey Taylor**, anfitrión de televisión y exitoso autor cuya fe en mí y sus buenos consejos me han guiado a escribir este libro.

A **Luz Ramírez**, por su arduo trabajo y sacrificio y por creer en la misión de Forever Faith. Nunca te olvidaré.

A **TJ Walker**, miembro fundador de la línea de ropa *Cross Colours*, quien generosamente invirtió su tiempo en enseñarme el negocio de la ropa y el diseño de moda. No solo aprendí de ropa sino cuán amable, considerado, generoso y profesional TJ es. Muchas gracias, TJ.

Al fotógrafo de celebridades fitness, **Noel Daganta**, quien ayudó a lanzar mi carrera fitness y me bendijo con mis primeras portadas en revistas.

Al entrenador **Michael López** por su amor y mentoreo y por siempre estar ahí para mí en las buenas y en las malas. Esa es verdadera amistad.

A **Guy Kochlani**, quien me animó a escribir este libro.

A **Ron Brown** por ayudarme a ver el panorama completo.

A **Christopher Pope** por ayudarme a dar vida a mis visiones por medio de su increíble arte.

A **George Steele** por su compromiso y ayuda durante los tiempos difíciles.

A **Marc Harper** y su esposa **Ceitci** por creer en la misión de *Forever Faith* y querer hacer un impacto en el mundo.

A **Jim Spargur** y su esposa **Lalie** por ver la visión y comprender que es la misión de Dios.

A muchos otros. Su amabilidad y generosidad ha impactado y cambiado mi vida. No puedo nombrarlos a todos, pero quiero agradecer al **padre Gallagher** de *San Pablo*, al **reverendo B.J. Johnson**, a **Dusto** el arquitecto, **Antione Fletcher, Joe Shen, Raul Ibarra, Javier** y **Ron** del *club de niños y niñas Del Mar, Pasadena*, y a todos en la organización de las *Panteras de Pasadena*.

# Tabla de Contenido

# INTRODUCCIÓN

## ¡SOLO SE NECESITA FE!

LA FE SALVÓ MI VIDA. Y CRÉEME, SI LO pudo hacer por mí, ¡a ti también te puede salvar! Pero no fue hasta que toqué fondo y me encontré en la cárcel a la edad de veinticinco años que aprendí lo que es la fe verdadera.

La fe de una mente de campeones.

Siempre fe.

Así que quiero contarte cómo llegué hasta aquí, y porqué estoy escribiendo este libro. Mi nombre completo es Abraham Joshua Cruz, aunque todos terminan llamándome Abe. Los tres nombres vienen en la Biblia. Sé que esto no es una coincidencia ya que mi mamá creció en una familia cristiana muy devota. Pero al crecer en un barrio infestado de pandillas y drogas de Los Ángeles, no sabía nada de su importancia. Por supuesto que sabía el significado de la palabra *cruz*, el lugar donde nuestro Señor y Salvador Jesucristo se sacrificó a sí mismo por nuestra salvación. También recordaba que Josué fue un gran guerrero que ayudó a Moisés a liberar al pueblo judío de la esclavitud en Egipto y los guio a la Tierra Prometida.

Luego está mi primer nombre. En la Biblia, Abraham es llamado el padre de la fe. ¡Eso no era yo! Por supuesto, creía en DIOS y en la oración porque mi mamá así me había educado. Pero mi enfoque principal consistía en ganar; primero, como un excelente atleta desde la primaria hasta la universidad, después como un emprendedor hombre de negocios que ganaba cinco mil dólares a la semana a la edad de veinte años.

Quería ser un campeón... el mejor. No pensaba en ayudar o hacer una diferencia en el mundo, sino vivir para mí mismo, enriquecerme, tener chicas lindas, experimentar el estilo de vida de un playboy luciendo joyas, autos, casas, ropa y zapatos elegantes. Todas las cosas que los ricos y famosos disfrutan. Así que, ¿por qué yo no?

Está bien, tal vez quería ayudar a mi mamá y a mi familia también. Por lo menos, eso me decía. Todavía me repetía eso cuando una serie de muy malas decisiones acabó con mi estilo de vida de hazte-rico-pronto y me dejó con una sentencia de tres años en prisión.

Muchos programas de desarrollo de liderazgo hablan sobre la mentalidad de un campeón. Auto-confianza. Determinación. Enfoque. Trabajo duro. Resistencia. Levantarse después una caída. No ser definidos por el fracaso. Mantenerse fuerte. Todas estas son las características de un campeón que he intentado modelar.

## « La mentalidad de un campeón es convertirse en la mejor versión de uno mismo. »
## —Abe Cruz

Pero he llegado a reconocer que la verdadera mentalidad de un campeón es la fe. No solo la fe en nuestra fuerza, inteligencia o talento. Fe en DIOS primero y en creer en tus propias capacidades después. No una fe que busca fortuna, fama y éxito, sino una fe que pone a otros primero. Una fe que encarna el dicho que tanto se escucha pero poco se practica: «¿Qué haría Jesús?»

Aprendí todo esto por las malas, postrado ante DIOS, derramando lágrimas sobre el frío piso de concreto de la celda de una prisión. La cárcel es una experiencia que no le deseo ni a mi peor enemigo. La cárcel te puede quebrantar física y psicológicamente. Ahí vi y experimenté algunas cosas terribles. Fui testigo de cómo muchos otros prisioneros perdían la fe y la esperanza por completo.

Sin embargo, para mí, la prisión se convirtió en una de las mayores bendiciones de mi vida. Nada de lo que tengo hoy en el terreno físico, espiritual, mental o financiero habría venido si no hubiera ido a prisión y tocado fondo. La cárcel fue mi llamada de atención. Me sacudió y me apartó del camino incorrecto antes que fuera demasiado tarde.

Aún más, cuando toqué fondo solo pude mirar hacia arriba. Y cuando alcé los ojos, vi a DIOS. Encontré la fe. También recibí una visión de lo que DIOS quería que hiciera con el resto de mi vida.

Literalmente recibí una visión. Llegó durante un tiempo de cuarenta días de ayuno y oración que mi mamá me desafió a llevar a cabo. En la visión, me encontraba sobre una colina, tal como cuando me arrestaron, excepto que en lugar de mirar hacia abajo a los agentes antinarcóticos, los perros detectores de drogas y los coches de policía, miraba a una multitud de personas. Y les hablaba de la fe y de cuánto DIOS los ama. Luego caminaba entre la multitud y levantaba a un niño tirado aquí, ayudaba a un anciano más allá, hablaba de esperanza a grupos de jóvenes en centros de detención juvenil y, en una escena tras otra, le daba la mano a los demás.

También me vi creando un movimiento de inspiración y una línea de ropa basada en la fe. Hablaba en televisión, posaba para portadas de revistas y viajaba alrededor del mundo. Fue como escuchar a Dios diciendo en voz alta: «Así como con tu tocayo Abraham, m'ijo, ahora te hago un hombre de fe. Si respondes a mi llamado, te bendeciré por tu fe y tú bendecirás a otros debido a tu fe».

Lo sorprendente es que todo lo que vi en esa visión se ha hecho realidad. Comenzó con el desarrollo de un programa de entrenamiento físico y desarrollo personal basado en la fe que hice justo allí, en la prisión, con mis compañeros presos. Ese fue el comienzo de Forever fe (Siempre fe), que no es solo una marca de moda y entrenamiento físico, sino una misión de inspiración y motivación que está alcanzando a muchas personas alrededor de todo el mundo. Te contaré de eso más adelante.

El viejo Abe se hubiera emocionado por escalar un peldaño más en el éxito personal. Ahora solo encuentro oportunidades para compartir el mensaje de DIOS, un mensaje de fe, esperanza y amor. También estoy muy agradecido por haber sido bendecido con una esposa increíblemente hermosa y dos hijos maravillosos.

Ahora bien, ¿qué es Siempre fe (Forever Fe)? Es tener la mentalidad de un campeón. Significa convertirte en la mejor persona que puedas ser en cada área de tu vida. Y la raíz de esto es poner a DIOS primero porque DIOS *es* el campeón por excelencia. Si sigues a DIOS y pones a DIOS primero, te convertirás automáticamente en la mejor versión de ti mismo, ya sea en lo físico, mental, espiritual, etc.

Yo he elegido ser esa persona y espero que tú también. Estoy seguro de una cosa: no soy el único que ha tomado malas decisiones, o que ha estado en lugares difíciles, o que ha tocado fondo. Hay muchas personas atrapadas en lugares difíciles que buscan la guía y el consejo de alguien que ya tocó fondo y logró salir.

Por eso escribo este libro: para que las personas sepan que DIOS da segundas oportunidades. Los tiempos difíciles, los obstáculos, aún nuestros fracasos, nos pueden llevar a un futuro brillante, esperanzador, con propósito, de sueños cumplidos y bendecido por DIOS.

Solo se necesita fe.

¡Siempre fe!


*Nota del traductor: Forever Faith es la marca registrada de Abe Cruz. Para propósitos de este libro, hemos usado Forever Fe (Siempre Fe).*

# CAPÍTULO UNO

## ¡HORA DE HUIR!

ME ENCONTRABA A LA MITAD DEL CAMINO rumbo a casa y me sentía bastante bien mientras el horizonte de Tulsa desaparecía por el espejo retrovisor. Había estado conduciendo más de doce horas desde que dejé Columbus, Ohio, y ya pasaba de la media noche. Pero con varias bebidas energizantes encima, me sentía listo para un empujón más rumbo a mi destino: Los Ángeles. No estaría tranquilo hasta entregar mi cargamento, aún cuando esto implicara conducir más de treinta horas sin detenerme.

Traía medio millón de dólares en efectivo escondidos en diferentes compartimentos del 350Z Nissan deportivo plateado; el pago en especie por los ladrillos de un kilo de cocaína que entregué en Columbus dos días atrás. No estaba preocupado, quizá porque a mis veinticinco años no tenía la suficiente astucia para estar nervioso. O, tal vez, porque después de dieciocho meses de viajes exitosos y completados —y algunos breves encuentros con la ley—, me sentía invencible.

Los anuncios verdes anunciando la salida a la ciudad de Oklahoma aparecieron en la ruta. Había recorrido este camino con tanta frecuencia que no necesitaba pensar sobre el siguiente cambio de carril. Más bien, pensaba en el mejor sueldo que recibiría hasta la fecha una vez que entregara el cargamento: treinta y cinco mil dólares en menos de una semana de trabajo. ¿En qué lo gastaría? ¿Otro Rolex? ¿Un fin de semana en clubes nocturnos? ¿Un viaje a Las Vegas?

Por supuesto, le daría a mi mamá algo, quizá mil dólares, para su renta y otros gastos. No demasiado para no levantar sospechas sobre mi fuente de ingreso, pero lo suficiente para ser un buen hijo y mostrar buenas intenciones. Volví mi atención a la carretera en la pronunciada curva de la ruta I-44 que pasaba por el parque Will Rodgers y el campus local de la universidad estatal de Oklahoma donde tomaría la I-40, una carretera recta hacia el oeste que me depositaría casi hasta Los Ángeles. A esta hora de la noche, había poco tráfico incluso en los límites de la ciudad, así que aceleré un poco. Mi álbum favorito de Rick Ross estallaba por el reproductor de CDs del Nissan. Yo rapeaba a su ritmo y mi mente vagaba por las posibles formas de entretenimiento del siguiente fin de semana.

Aunque no lo creas, poco sabía del cargamento que llevaba al este varias veces al mes cuando inicié este trabajo. Como buen atleta, nunca había tocado nada que pudiera afectar mi rendimiento en la cancha. Y ya que había sido criado por una devota madre cristiana y había atendido escuelas católicas parroquiales, incluso la jerga callejera me resultaba desconocida. Escuchaba rap para mantenerme despierto en los largos recorridos, y me sorprendió que muchos de mis artistas favoritos cantaban sobre lo que yo estaba haciendo en ese momento.

Mi canción favorita de todos los tiempos de Rick Ross, Push It to the Limit (Empuja hasta el límite), podía tratarse de un camionero intentado ganar lo suficiente para sostener a su familia. «Puerto de Miami, puerto de mis dulces, nada qué perder... Estamos manteniendo a la familia, nunca tráfico por diversión, solo tráfico por más fondos... Empujo y empujo, manejo y manejo, tratando de sobrevivir en la 95...»

Pero ahora comprendía que la letra describía a un conductor como yo, que recogía una carga de cocaína de Miami y la transportaba por la carretera I-95. La canción remix de Rick Ross con Jay-Z y Young Jeezy era otra de mis favoritas ya que siempre me había considerado a mí mismo como un *hustler* (estafador) de nacimiento:

«Todos los días estoy estafando, estafo, estafando, estafando... No es una coincidencia que a mi edad sea un kilo... Apilo cuadrados blancos como almohadas... Los federales detrás... Mezclo, re-mezclo, aún hablo de ladrillos blancos... Dos millones de pedidos vendidos... Quieres esas cosas lindas, pídemelas a mí. Vienen de la frontera, te levanto un pedido...»

Ahora sabía que esos ladrillos blancos eran bloques de cocaína de un kilo, contrabandeados por la frontera y que se transformaban en pequeños «cuadros» para venta callejera. Y como el cantante, me preocupaba que los federales vinieran detrás de mí, pero no lo suficiente para renunciar hasta que tuviera uno o dos millones de dólares en la bolsa.

Tampoco era tan tonto para freír mi cerebro con lo que llevaba y traía. Creía en ser «siempre el estafador, nunca el cliente». En cuanto a los que consumían la droga que yo transportaba, me decía que nadie los obligaba; yo no hacía nada inmoral. No estaba robando una tienda o un banco. No estaba lastimando a nadie. Simplemente proveía un servicio de entrega. Un servicio de reparto técnicamente ilegal y extremadamente bien pagado, pero sin víctimas.

Aunque algo había cambiado en este viaje. Por primera vez, me invitaron a quedarme en la casa de entrega y no en un hotel. El interior del lujoso condominio había sido como una película extraña, con fardos de dinero apilados en las mesas y chicas en ropa interior separándolos en billetes de uno, cinco, diez, veinte, cincuenta y cien dólares. Vi hombres caminando alrededor con pistolas en sus cartucheras al hombro. Otra habitación tenía pilas de ladrillos de un kilo de cocaína.

Que me dejaran entrar, indicaba que finalmente me había ganado su confianza. Lo que, tal vez, pudiera mejorar mi situación y no ser ya solo un chico repartidor. Podría tener verdaderas responsabilidades y hacer más dinero. Alcanzar el estatus de millonario. ¡Sí! ¡Me sentía bien!

Una vez que pasé la salida del campus de la OCU, giré a la derecha hacia la salida que me llevaría al oeste rumbo a Los Ángeles. Rápidamente bajé la velocidad de ciento veinte kilómetros por hora a cien, luego a setenta. Mis órdenes incluían tomar en serio los límites de velocidad u otras reglas locales de tránsito. Por mí estaba bien ya que deseaba evadir la atención policiaca tanto como mis jefes, por lo menos hasta entregar el 350Z a su dueño.

Desaceleré aún más al unirme a la carretera 270, que se convertiría en la carretera interestatal 40, hacia el oeste de Oklahoma. Pero, al parecer, no lo hice lo suficientemente rápido. En mi espejo retrovisor, una patrulla de carretera de Oklahoma asomó su negra nariz fuera de un grupo de arbustos. Luego una más.

## « La gratificación instantánea puede desaparecer tan rápido como llega ».
## —Abe Cruz

Maldije mientras los dos coches de policía salían a la carretera y se colocaban detrás de mí. No encendieron sus luces ni sirenas, así que seguí conduciendo, cuidadoso de mantenerme unos kilómetros debajo del límite de velocidad. La carretera llevaba hacia un distrito industrial con toda clase de mueblerías de rebajas y bodegas que estaban a oscuras a esa hora de la noche, a excepción de las luces del estacionamiento.

Pasaron cinco minutos más con los coches todavía siguiéndome. Quizá revisaban mis placas pues eran de otro estado. En ese caso, el auto saldría libre de multas; un auto con placas de otro estado no sería raro en una zona con un campus universitario en el camino y la universidad más grande de Oklahoma media hora al sur. Comencé a tranquilizarme. Unos cuantos minutos más y estaría fuera de los límites de la ciudad, y de regreso a la velocidad de las interestatales.

Pero justo cuando empecé a bajar la guardia, las luces rojas y azules destellaron en mi espejo retrovisor y el breve sonido de la sirena ordenó que me desviara hacia la cuneta. Aún no estaba preocupado y obedecí.

Después de todo, tenía una buena historia. Cuando un policía estatal se acercó a la puerta del conductor, abrí la ventana con rapidez.

El policía se recargó, con una mirada poco amigable, adivinando mi edad y mirando mi vestimenta casual: camiseta, pantalones cortos y sandalias. Manteniendo ambas manos en el volante, dibujé una sonrisa y pregunté respetuosamente: —¿Hay algún problema, oficial?

No respondió a mi pregunta, pero con un fuerte acento sureño ordenó: —Licencia de conducir y seguro, por favor.

Le entregué ambas. Mirando por encima, arrugó la frente.

—Veamos, ¿qué estás haciendo a estas horas de la noche fuera de casa, muchacho?

Aún no estaba preocupado y repetí la mentira que había sido tan efectiva en una situación anterior.

—Vine de Cali para pasar el fin de semana con mi novia en la Universidad del Sur de Oklahoma. Voy camino a casa.

Se decía Cali a la Universidad del Sur de California. Pero a este oficial no le convenció mi actuación y su voz se transformó en rugido.

—¿Has estado tomando?

—¡No, señor! —respondí con más respeto.

Entonces me preguntó de modo directo: —¿Hay drogas o armas en este auto?

—No, señor —respondí, agradecido que fuera la verdad.

—Quédate aquí.

El oficial regresó a su auto con mi licencia de conducir y mi registro. Me dispuse a esperar con paciencia, rogando poder estar de nuevo en la carretera una vez que revisara mi documentación. Pero en menos de sesenta segundos, dos grandes camionetas negras se acercaron. Los hombres que descendieron de ellas traían ropa de civiles, pero sus rompevientos negros tenían letras grandes y blancas en la espalda que decían: DEA o Administración para el Control de Drogas. ¡Y traían perros!

Me quedé petrificado. Aún más, comencé a sentir pánico. No había modo que la DEA hubiera aparecido de repente a esta hora de la noche. No hubieran podido responder tan rápido a una llamada de esos patrulleros, a menos que hubieran estado esperando. ¡Esperándome a mí!

Mi mente y mis latidos aumentaron mientras trataba de pensar. ¿Y si la división antidrogas había estado vigilando la casa donde hice la entrega? Si así era, entonces tendrían un video con el 350Z yendo y viniendo. Tal vez esas dos patrullas estatales no habían sido una trampa por exceso de velocidad. ¿Sería posible que me hubieran seguido desde Ohio? Por primera vez, pensé que esto podía ser algo serio.

Caminando hacia mi ventana, un agente de la DEA repitió las mismas preguntas del patrullero.

—¿Qué haces aquí? ¿Qué hay en el auto?

Aunque asustado, me mantuve sereno, respondiendo con respeto y tranquilidad. Pero la expresión del agente mostró que no me creía.

—En ese caso, no te molestará que revisemos el auto.

El agente hizo un gesto a los que traían los perros y estos se acercaron. Luego me dijo: —Sal del auto.

Lo hice. Los perros giraban alrededor del Nissan con sus entrenadores cerca. Otro agente abrió el maletero mientras unos más revisaban el vehículo. Aunque preocupado, mantuve mi pánico bajo control, confiado de que los perros no olerían nada pues no había droga en el auto. Sobre los compartimentos ocultos, ni siquiera yo podía encontrarlos, ¡y sabía que estaban allí!

Pero aunque los perros no mostraban reacción alguna, uno de los entrenadores habló de repente: —¡Huelo Bondo!

No supe a qué se refería, pero luego me enteré que el Bondo es una pasta selladora de epóxico que se seca rápidamente y se usa para reparar autos. No es ilegal, pero para la DEA es una señal de alarma pues con frecuencia se usa para sellar compartimentos ocultos, cubierto por una rápida pulida y mano de pintura. El olor a Bondo fresco en un auto informa a los agentes que algo está mal, tanto como el olor de la cocaína alerta a un perro antidrogas.

El primer agente giró en mi dirección.

—Abraham Cruz, estás arrestado.

Allí fue donde supe que estaba en serios problemas. Bajé el rostro, sin tratar de salirme del aprieto con palabras, mientras un agente me leía mis derechos y el otro me colocaba esposas en las muñecas. Luego me escoltaron hacia la cima de una pequeña colina, bajo la custodia de un policía estatal.

Más agentes rodearon el Nissan plateado. Los perros aún no reaccionaban y me parecía que los agentes no habían encontrado nada. Pero eso no me hacía sentir mejor ya que, si despedazaban el auto, seguramente encontrarían el dinero. Me habían atrapado y lo sabía. La única pregunta era: ¿qué tan malo sería?

—¡Encontré algo! —anunció alguien.

—Parece que hallaron algo —comentó el policía a mi lado. Me miró, y me sorprendió escuchar una nota de compasión en su voz mientras me preguntaba en un susurro: —Hijo, ¿en qué te has metido?

—Lo siento mucho. ¡Lo siento tanto! —Ni siquiera levanté la cabeza mientras murmuraba una disculpa. Estaba en total desconcierto. Después de dieciocho meses de éxito, no podía creer que esto estuviera pasando. —No sé cómo me metí en esto.

Pero eso no era verdad. Sabía exactamente cómo me había metido en ese lío y las decisiones que me habían llevado a ese momento. Si eso hubiera pasado unos años atrás, hubiera estado rogando a DIOS por ayuda. Pero en ese momento el pensamiento ni siquiera cruzó mi mente. Parecía demasiado tarde para orar.

¿Huir? Esa sí era una opción a considerar.

# CAPÍTULO DOS
# NO LO SUFICIENTEMENTE BUENO

MI PADRE SE MARCHÓ CUANDO YO TENÍA cuatro años. El porqué es una pregunta que me he hecho desde niño. ¿Creyó ser demasiado bueno para nosotros? Después de treinta años, mi corazón me dice que no. Proveer para una familia es complicado. Cuando alguien es débil y no tiene la mentalidad de un campeón, huir es la salida fácil. Así que, tal vez sintió que no era lo suficientemente bueno o fuerte para criar una familia.

Agradezco que DIOS está presente para los huérfanos, pues mirando atrás puedo ver cuántas figuras paternas, decentes, cariñosas y honorables, DIOS ha traído a mi vida con el paso de los años. No creo que aún estaría vivo y en libertad sin su influencia, como verás más adelante.

Nací en el verano de 1981 en el Hospital White Memorial al este de Los Ángeles. Mi papá provenía de La Habana, Cuba. Nunca supe cómo llegó a los Estados Unidos, pero para cuando yo nací, él ya conducía camiones. Mi mamá, de herencia italiana y vasca, creció en un pequeño pueblo en Sonora, México, al sur de Arizona. Se mudó a los Estados Unidos con su primer esposo, un ciudadano americano. Tuvieron una hija, mi media hermana, quien tenía diez años cuando yo nací.

No sé cuándo se disolvió el primer matrimonio de mi mamá o cómo ella conoció a mi padre. Sin embargo, mis primeros recuerdos son de una familia normal, en una casa decente en un buen barrio al sur de Pasadena. El trabajo estable de mi papá permitía que mi mamá se quedara en casa conmigo y con mi hermano David, quien nació dieciocho meses después.

Mis padres nos llevaban los domingos a una iglesia hispana, donde mi padre servía como diácono.

Tengo pocos recuerdos de esos días y quizá vienen de ver las viejas fotos. Pero me acuerdo que mi papá nos llevaba al zoológico a mi hermano y a mí. Allí monté un elefante. También me acuerdo que le echaba una moneda de veinticinco centavos a un coche mecánico fuera de la tienda de abarrotes del vecindario y me imaginaba ser un piloto de carreras.

Recuerdo con claridad a mi padre levantándome hacia la cabina de su enorme camión de dieciocho llantas, y a mi mamá discutiendo por sacarme a carretera a tan corta edad. A decir verdad, todos los demás recuerdos incluyen peleas. De hecho, mi último recuerdo fue de mi padre golpeando con ira un espejo en la pared con su puño cerrado, mientras mi mamá gritaba que alguien llamara a la policía y yo me escondía de los gritos y el vidrio roto debajo del sofá.

Así que cuando mi padre desapareció de nuestras vidas, realmente no lo eché de menos. No lo conocía lo suficiente para extrañarlo. No entendí que cuando se marchó en su enorme camión esa última vez, ya no volvería más. Cuando comprendí que ahora teníamos una familia diferente y mi madre ahora era una madre soltera, solo eché de menos la idea de tener un padre. No mi padre en particular, sino solo un padre.

Y también me di cuenta que su partida afectó a nuestra familia. Tengo muchos tristes recuerdos de mi mamá llorando. Sin el sueldo de mi padre, no podía pagar nuestra cómoda casa de clase media, así que tuvimos que mudarnos. Pasadena básicamente estaba dividida del este al oeste por la autopista Ventura, o la carretera 210, una enorme maraña de caminos de cuatro y ocho carriles, salidas y pases elevados. Al sur de la 210 estaba el área más afluente de Pasadena. Al norte de Pasadena, estaba lo que el gobierno llamaba «los proyectos» y Hollywood describía como «el barrio».

Mamá nos llevó a un departamento de una habitación, lo único que le alcanzaba. Puso una litera en la recámara para David y para mí, mientras mi mamá y mi hermana dormían en un colchón inflable en la sala. Así vivimos hasta mi adolescencia. Mi hermana se mudó al poco tiempo para vivir sola, pero era típico que mamá nos diera a David y a mí el dormitorio. Ella siempre se sacrificaba por su familia y aceptaba la sala.

El departamento tenía cucarachas. Sin importar cuánto insecticida usáramos, encontrábamos cucarachas en la cama, arrastrándose en nuestra ropa e incluso en la comida. Recuerdo sacar cucarachas de mi plato con cereal y luego seguir comiendo porque no nos podíamos dar el lujo de tirar la comida. Cuando tu estómago gruñe por el hambre, comes cualquier cosa que está frente a ti para sobrevivir, ¿cierto?

## « Cada situación en la vida nos moldea y nos prepara para el siguiente reto ».
### —Abe Cruz

El barrio lucía decadente, con barrotes en las ventanas y las puertas, grafiti en las paredes, basura en las calles, alambres de púas, aceras rotas y baches. Los pandilleros y los narcotraficantes merodeaban en las esquinas, por lo que David y yo teníamos miedo de explorar, especialmente al anochecer. Aunque resulte gracioso, pues el clima es básicamente igual en todo Los Ángeles, mis recuerdos de nuestro hogar en el sur de Pasadena muestran un cielo azul, mientras que el norte de Pasadena parece oscuro, serio y triste.

Después que mi papá nos dejó, mi mamá fue a la iglesia a la que asistíamos para comunicar a los líderes lo que había sucedido. Después de todo, papá había sido un diácono ahí. Ningún líder de la iglesia nos ofreció su ayuda, ni espiritual ni financiera. ¿Tomaron el lado de mi padre como el hombre de la casa? ¿O culpaban a mi madre por no retenerlo?

Nunca tuve respuestas a estas preguntas. Además, como el resto de la familia de mi mamá estaba en México, no teníamos a quién más recurrir. La vida desde entonces se convirtió en un asunto de sobrevivencia diaria.

Durante una temporada, mi mamá consiguió estampillas de comida y otros servicios sociales. Tuvo dos o tres empleos al mismo tiempo, desde limpiar casas hasta trabajos de oficina. Participó en clases nocturnas y poco a poco ascendió en su carrera secretarial. Mi padre nunca mandó dinero de manutención y, de hecho, hasta hoy no lo he vuelto a ver.

Mirando atrás, me cuesta imaginar cuán perdida se debió sentir mi mamá con tres hijos y sin dinero, pero siempre se mantuvo firme y con una sonrisa en el rostro. Se sintió profundamente herida cuando los líderes de la iglesia, quienes habían sido los compañeros de mi padre como diácono, no hicieran nada para ayudarnos, y una vez que nos mudamos al nuevo departamento, dejó de llevarnos a la iglesia. Pero nunca perdió la fe en DIOS, ni dejó de animarnos a ser agradecidos.

*«Cuenten sus bendiciones, m'ijos»*, decía. *«Dios está con nosotros. No nos dejará».*

Dar gracias a DIOS se hizo parte integral de mi vida. Cuando nos levantábamos, dábamos gracias a DIOS por un nuevo día. Antes de comer, dábamos gracias a DIOS por la comida. A veces no era mucho. Recuerdo que mientras mi mamá estaba en el trabajo, mi hermano y yo comíamos pan o tortillas con mantequilla porque era lo único que teníamos. Pero era comida saludable que llenaba nuestros estómagos y dábamos gracias a DIOS por ello. Antes de ir a la cama, dábamos gracias a DIOS por ayudarnos un día más.

De niño, reconocí la pobreza de nuestro barrio y la forma en que vivíamos, especialmente si me comparaba con otros niños más afortunados. Pero hoy considero una bendición la forma en que crecí. Desde temprana edad, desarrollé instintos básicos de sobrevivencia. Aprendí resiliencia y cómo adaptarme a nuevos entornos. Cuando crecí y empecé a leer libros sobre liderazgo, descubrí que la adaptabilidad y la resiliencia son recursos claves para el éxito. Cada situación en la vida nos moldea y nos prepara para el siguiente reto. Esto incluye la pobreza y los tiempos difíciles.

De acuerdo a esos estándares, mi mamá ha sido una persona con una increíble historia de éxito. Sin importar la situación, uno debe ser firme, optimista y mantener la fe. Esta siempre ha sido la filosofía de mi mamá.

Mi mamá también nos dijo que en tanto estuviéramos unidos como familia, estaríamos bien. Nuestro amor el uno por el otro era lo único que necesitábamos para salir adelante. Nos recordaba que había gente allá afuera que nunca había tenido la oportunidad de amar. Nos aseguró que jamás nos abandonaría como lo había hecho mi padre, y que nos ayudaría a David y a mí a ser jóvenes fuertes y rectos.

Y mi mamá cumplió sus promesas. Aún cuando caí, nunca dudé que estaría a mi lado. Y los principios que grabó en nuestros corazones me ayudaron en la hora oscura. Ha sido mi modelo de lo que significa tener una mente de campeones. ¡Gracias, mamá!

Pero si me hubieras preguntado qué significaba ser un campeón cuando vivía en el barrio, te habría dado una respuesta muy diferente. Un campeón era alguien que siempre ganaba.

Y en mi mundo, ¡ese era yo!

# CAPÍTULO TRES
# HERMANO MAYOR

A LOS OCHO AÑOS, CONOCÍ A LA PRIMERA figura paternal que moldearía mi vida. Él me introdujo a lo que se volvería en mi boleto al círculo de campeones: los deportes competitivos. Mi mamá también fue responsable de esto. Preocupada porque David y yo no teníamos modelos masculinos alrededor, nos inscribió en el programa llamado Hermano Mayor (Big Brother).

El Hermano Mayor (y la Hermana Mayor para chicas) es un programa comunitario. En él, se pone a un niño de familia de escasos recursos o madres solteras con un adulto que se compromete a pasar varias horas al mes con su «hermano». A mí me pusieron con Ken Mendoza.

Ken fue la chispa de inspiración que encendió en mí la pasión por los deportes. Aún más, me ha enseñado lo que un padre amoroso, amable y compasivo debe ser. De hecho, tengo más buenos recuerdos con Ken que con mi propio padre. Aunque el programa requería que nos viéramos solamente dos veces al mes, Ken comenzó a recogerme casi cada fin de semana. Me llevó al Club Atlético Pasadena, donde me enseñó a nadar y a encestar. Me dio mi primera lección en levantamiento de pesas. Me llevó a comer pizza.

Mi hermano menor, David, todavía no tenía a su propio hermano mayor, así que Ken lo invitó a unirse a nosotros. Ken y su esposa Rose eran graduados de la UCLA y seguidores de su equipo de fútbol americano. Nos llevaron a David y a mí a nuestro primer Tazón de las Rosas y a nuestro primer partido. Nos llevaron a restaurantes elegantes donde aprendimos modales. Nos invitaron a su casa en días festivos y ocasiones especiales.

Por primera vez, podía ver un mundo más allá de las drogas, las pandillas, el polvo, la pobreza y las cucarachas de mi barrio. El contraste en nuestras vidas no podía ser mayor. Me había vuelto un chico tímido. David y yo nos habíamos graduado del miedo a caminar en las calles inseguras de nuestro barrio a los pasillos de una escuela primaria igual o peor de peligrosa. Veía a niños de primer y segundo grado con navajas. La escuela tenía noventa porciento de minorías y familias pobres por lo que el setenta y cinco por ciento de los alumnos calificaban para almuerzos gratuitos. Con treinta a cuarenta niños por salón, aún con las buenas intenciones de los maestros, la educación resultaba mínima.

En el patio había poca supervisión y protección contra el acoso escolar. En la escuela David y yo nos sentíamos aún más pobres, con ropa de segunda mano y no siempre limpia. Yo solo tenía unas cuantas prendas, así que usaba la misma camisa o pantalón dos o tres veces por semana, algo que mis compañeros notaban.

Mis zapatos desgastados eran lo peor. No podíamos reemplazar mis tenis corrientes cuando tenían hoyos en la suela o comprar mejores marcas. Para jugar deportes, usaba varias capas de calcetines, a veces cinco o seis pares, que hacían que mis pies sudaran aún más. Cuando los niños se burlaban, les decía que era mi estilo. En realidad, estaba protegiendo mis dedos y lo que quedaba de mis suelas.

A decir verdad, la ropa y los zapatos no me importaban gran cosa. Entendía que mi mamá nos estaba criando sola y que otros niños tenían mamá y papá. Ser pobres era nuestra realidad. Al llegar a la pubertad, la cosa cambió. Empecé a crecer tan rápido que a los diez años ya medía 1,65 m. De adulto, alcancé los 1,75; algo corto para un atleta. Pero a finales de la primaria, era una de los niños más grandes y fuertes.

Lamentablemente, las hormonas responsables de mi rápido crecimiento también me dejaron con mucho acné. Tenía brotes en toda la cara, el pecho, la espalda, los hombros y el cuello. Los otros niños empezaron a apodarme «cara de cráter» y «cara de pizza». Podía restarle importancia a las burlas sobre mi ropa y mis zapatos, pero no a mi apariencia. Me sentía tan feo que apenas podía mirarme en el espejo.

Los deportes se volvieron mi escape. Ken nos llevaba a ver diversos deportes —baloncesto, fútbol, natación, lucha libre— y luego pasaba horas enseñándonos cómo hacer los movimientos. Atrapábamos el balón, practicábamos saltos, o nos enseñaba jugadas de fútbol americano. Todo lo que aprendía de Ken y de los atletas profesionales por televisión, lo llevaba al patio de recreo. De repente, los niños mayores me dejaron participar en sus juegos de fútbol. Por lo menos allí era tan bueno que nadie me hacía burla.

## «Las pruebas producen resistencia, perseverancia y fortaleza de carácter».
## —Abe Cruz

Además de los Mendoza, tengo dos buenos recuerdos de esos años. El primero es mi hermana mayor. Aunque ya no vivía con nosotros, nos visitaba de vez en cuando y nos llevaba a David y a mí a comer pollo frito o a la playa.

Mi otro recuerdo es GADEV: «Gracias a DIOS es viernes». Ahora que David y yo éramos un poco más grandes, mi mamá comenzó a salir los viernes por la noche. Mi hermano y yo nos sentábamos frente a la televisión para comer pizza de Little Caesar's o comida japonesa. Allí hice mi primer programa de entrenamiento que consistía en lagartijas, sentadillas, levantamiento de pantorrillas y otros ejercicios durante los comerciales. Pronto noté un aumento en el desarrollo de mis músculos.

No culpo a mi mamá por querer descansar de nosotros de vez en cuando. Aún con los buenos momentos con Ken y Rose, yo era un chico difícil. Aunque era tímido y me avergonzaba con facilidad, ya mostraba un aspecto agresivo que me ayudaría a tener éxito en los deportes, sobre todo bajo presión.

En pocas palabras, era dos personas. Mi mamá me había enseñado a mostrar respeto, ser considerado y dirigirme a los adultos apropiadamente. «Sí, señor. No, señor. Sí, señora. No, señora. Gracias». Ese era el niño que conocían los Mendoza.

Pero en la escuela y en el programa extra escolar que David y yo atendíamos hasta que mi mamá salía de trabajar, empecé a meterme en muchas peleas y otros problemas de disciplina. Cuando los niños se burlaban de mi ropa o de mi acné, respondía verbalmente y con los puños. Incluso tiraba mesas. Me suspendieron un par de veces y a la larga me reasignaron a una escuela alternativa.

Obedecía las reglas si eran lógicas. Si no lo eran, iniciaba un patrón interminable de cuestionamientos o las ignoraba si no aplicaban a mí. Eso incluía a mi mamá. Constantemente le respondía de mala gana. David tampoco era un ángel. Seguramente logramos asustar a los hombres que intentaron salir en una cita con mi mamá.

*Mamá, realmente lo siento. Pero, ¡gracias!*

Por lo general, el compromiso del hermano mayor duraba un año. Ken y Rose se mantuvieron activos en nuestras vidas por lo menos tres o cuatro años. Como buenos cristianos, empezaron a llevarnos a la iglesia los domingos por la mañana si nos quedábamos en su casa el sábado por la noche. Sólo iba a la iglesia para complacer a Ken y a Rose. Todavía hacía mis oraciones y daba por hecho que había un DIOS, pero de ahí en fuera no pensaba en él. Estaba demasiado enfocado en mis propios asuntos.

En contraste, mi mamá nos hablaba todo el tiempo sobre la fe. «No se preocupen, m'ijos», nos aseguraba. «Aún cuando su padre no esté aquí, Jehová nos va a proveer. Todo estará bien».

Mi padre no había llamado desde que se marchó, y para estas alturas dejamos de esperar su regreso. Pero un día, cinco años después de irse, algo extraño sucedió. Mi mamá nos recogió de la escuela. Estábamos cerca de nuestro edificio cuando notamos un auto estacionado afuera.

Mi mamá condujo sin detenerse y sobrepasó el edificio. Terminamos durmiendo con unos amigos hasta que mi mamá nos dejó regresar al departamento. Nos contó que el auto pertenecía a mi padre quien había venido a secuestrarnos. Ese fue nuestro último contacto con él. Mucho después, mi mamá nos contó que él se mudó a Miami, se volvió a casar y tuvo otra familia.

Dos cosas buenas pasaron cuando cumplí diez años. Las finanzas de mi mamá mejoraron tanto que pudimos abandonar ese barrio. Aunque todavía era un departamento de una recámara al norte de la carretera 210, el área resultó más linda. Mis recuerdos nuevamente son de cielos brillantes y azules. Aún teníamos unas cuantas cucarachas, pero no tantas.

La otra buena noticia fue que me inscribí en los deportes competitivos por primera vez. Gracias a Ken, David y yo nos habíamos convertido en atletas destacados para nuestra edad. A los diez años, nadie me veía sin un balón de baloncesto o fútbol en la mano, y pasaba el tiempo practicando deportes fuera de la escuela en cada oportunidad. La escuela alternativa donde me inscribieron después de mudarnos quedaba al otro lado del parque Victoria, hogar para el programa local Pop Warner, una pequeña liga sin fines de lucro que incluía fútbol americano para niños y niñas entre los 6 y 14 años.

Los equipos se organizaban de acuerdo a la estatura, el peso y la edad. Con mi crecimiento repentino, no tenía ni once años cuando ya estaba en un equipo llamado las Panteras de Pasadena, para niños entre doce y trece años. Gracias al entrenamiento de Ken, no sólo estaba adelantado atlética sino físicamente, y era rápido. También tenía el empuje para ganar que heredé de mi mamá, pues nos impulsó a tener una ética fuerte de trabajo.

«Si van a salir a jugar, den todo lo que tienen», mi mamá nos decía. «Si no pueden dar todo, ¡no se molesten en hacerlo!»

El entrenador de las Panteras de Pasadena contaba con una filosofía similar. El entrenador Pitts nos enseñó que si queríamos ganar no había otra opción salvo el trabajo duro. Me hizo empezar como receptor abierto y exterior defensivo. Tuvimos una temporada de 14 ganados y cero perdidos, y me gané el apodo de «Manos», pues capturaba cualquier balón lanzado en mi dirección.

Alrededor de este tiempo, Ken y Rose tuvieron su primer hijo, así que no pudieron pasar más tiempo con David y conmigo. Pero Ken logró ir a algunos de mis partidos. En uno de ellos, hice una recepción por encima del hombro que resultó en la victoria del partido. Él me había enseñado ese truco, así que tenerlo allí fue una bendición especial.

No puedo agradecer lo suficiente al programa de Hermanos Mayores y los voluntarios que invirtieron sus vidas en niños como yo. Si no fuera por Ken, no estoy seguro dónde estaría hoy; tal vez en las calles traficando drogas o con una pandilla, como pasó con muchos otros chicos de mi barrio.

# CAPÍTULO CUATRO
# EL NACIMIENTO DE UNA MENTALIDAD

AL TERMINAR LA TEMPORADA DE FÚTBOL americano, pasaba directo al baloncesto, otro deporte que Ken pasó mucho tiempo practicando con David y conmigo. El programa de baloncesto se llevaba a cabo en el club de Niños y Niñas (Boys and Girls), otra organización de voluntarios. Proveía programas de deportes, tutoría, artes y otras actividades después de la escuela o durante el verano, para millones de niños americanos, la mayoría de familias de bajos recursos.

El club Pasadena tenía un gimnasio, mesas de billar, video juegos y otras actividades divertidas. Pero quedaba a una hora de distancia caminando, y con ropa desgastada y acné, me avergonzaba estar alrededor de otros niños, especialmente de las niñas. Medía casi 1,65 m y empezaba a fijarme en el sexo opuesto, pero estaba demasiado consciente de cuán delgado, raro y feo debía verme.

Aún así, realmente quería jugar baloncesto así que caminaba una hora de ida y vuelta. Nuevamente, entré a un equipo de chicos más grandes, de trece y catorce años. Aunque no ganamos el campeonato, quedé en segundo lugar como el jugador más valioso. David también jugaba fútbol y baloncesto, aunque en equipos más jóvenes, y los hermanos Cruz se empezaron a hacer fama de deportistas.

También estaba aprendiendo mis primeras lecciones sobre cómo jugar en equipo, así como la disciplina y las habilidades para ser un buen atleta.

Sinceramente, mi entrenador me volvía loco, y yo a él. Cuando jugaba contra Ken, aprendí que tenía talento natural y podía driblar en círculos alrededor de otros jugadores. Lleno de energía, solo deseaba sujetar el balón y hacer una canasta, de preferencia de tres puntos. Pero el entrenador insistía en aprender las bases del juego. Nos indicaba una jugada y esperaba que la ejecutáramos. Ahora entiendo que su estilo de entrenamiento nos preparaba para niveles más altos de baloncesto. También me estaba enseñando paciencia y disciplina sin que me diera cuenta. Fue otro gran modelo de vida en mi niñez.

En el verano de 1992 conocí a otro héroe, Michael Jordan, el aclamado jugador. Condujo a su equipo a la victoria y fue considerado el jugador más valioso dos años consecutivos. No teníamos Internet entonces, así que miraba cada juego con avidez y luego escuchaba sus entrevistas en la televisión. Aprendí que el jugador más grande de todos los tiempos no había logrado estar con el equipo principal en el primer año de preparatoria. ¿Cómo se sobrepuso? Mediante ética de trabajo, deseo, pasión y sacrificio.

Después de ver sus partidos, practicaba sus jugadas durante horas, una y otra vez. Con suficiente repetición, lograba imitarlas; no como Michael Jordan, pero bastante bien para un niño de once años. Por ejemplo, me gustaba practicar su famoso lanzamiento con un brazo de la línea de tiros libres, el cambio a la mano izquierda y los seis tiros de tres puntos que conseguía antes de la mitad del partido. Logré todo esto en los años siguientes.

Pero lo que aprendí de Michael Jordan fue más allá de baloncesto. Fue la mentalidad de un campeón: la idea de que podía sobresalir en cualquier cosa si me enfocaba lo suficiente. A esa edad, solo pensaba en los deportes. Con el tiempo comprendí que podía aplicar esta mentalidad a cualquier cosa para ser tan exitoso como quisiera. En conclusión, la mentalidad correcta, el corazón entregado y la ética de trabajo son las soluciones a los retos y obstáculos en la vida.

Mi segundo año de fútbol y baloncesto fue igual de exitoso. De once años, jugué otra vez con niños dos o tres años mayores. No era el más alto, pero sí era rápido y agresivo, así que mi apodo de «Manos» mejoró a «Animal». En baloncesto, terminamos la temporada quince a cero y ganamos el campeonato de la liga.

Jugar baloncesto. Jugar fútbol. Practicar. Entrenar. No sabía a ciencia cierta qué, pero amaba la sensación de la victoria. Me encantaba el sentimiento de logro y de vencer obstáculos. Ken inició este camino al introducirme a los deportes, pero luego algo dentro de mí sucumbió y amó la competencia. Solo me enfocaba en ganar, una mentalidad que desarrollé a temprana edad. La vida era una constante batalla con retos interminables, y dependía de mí luchar lo suficiente para superarlos.

> **«La mentalidad correcta, el corazón entregado y la ética de trabajo son las soluciones a los retos de la vida».**
> **—Abe Cruz**

Una de las razones por las que ganar en los deportes se volvió tan importante para mí fue porque el resto de mi vida no marchaba bien. La escuela alternativa buscaba dar segundas oportunidades a niños con problemas académicos y de conducta. Esto implicaba muchos problemas disciplinarios. Y a diferencia de mi escuela anterior, algunos estudiantes no eran necesariamente de familias de bajos recursos sino que estaban allí por su mal comportamiento. Algunos tenían mucho dinero. Usaban ropa y zapatos de marca, cadenas y aretes de oro. Los niños como yo éramos como nada a sus ojos, así que comencé a pelear cuando ellos me acosaban.

Acostumbrado a jugar con niños mayores, empecé a faltar a clases para pasar tiempo con otros que se iban de pinta al parque, algunos eran de la preparatoria. Ellos fumaban y consumían drogas mientras encestábamos el balón. Afortunadamente, yo estaba demasiado metido en los deportes como para comprometer mis habilidades de esta manera. Pero, para encajar, empecé a robar pequeñas cosas en las tiendas, y trataba de verme a la moda con mis pantalones holgados, los boxers a la vista y un arete. Le mentí a mi mamá diciendo que unos amigos me habían regalado la ropa, pero discutíamos todo el tiempo porque ella odiaba el look hip-hop y quería que me vistiera bien.

En séptimo grado, mi acné estaba tan mal que no soportaba ver a las personas a los ojos. Al ver su expresión, adivinaba que ellos solo se fijaban en las cicatrices y las costras que me hacían ver como una víctima de la varicela en tiempos antiguos. Si veía un grupo de chicas bonitas mirando en mi dirección estaba seguro que se estaban burlando de mí. Desesperado, le pregunté a mi mamá qué había hecho para tener tan mal acné. ¿Estaba DIOS castigándome? ¿Por qué?

—Lamento que lo hayas heredado de mí —respondió mi mamá—. Siempre tuve el mismo problema y se me quitó con el tiempo, como pasará contigo.

Sus palabras no me consolaron porque seguía viéndome como un monstruo. Entonces encontré una medicina llamada Retin-A que mi mamá usaba para el acné y me puse plastas de ella sobre la cara esperando que funcionara. No leí que debes evitar salir al sol al usar este medicamento, así que mi cara se puso roja, luego negra, y finalmente mi piel se peló como la de un zombi. Me deprimí tanto que dejé de ir a la escuela.

Había un parque al norte del club de Niños y Niñas. Le decía a mamá que iba a la escuela, pero en realidad iba al parque. Allí me pasaba el día inventando rutinas de ejercicio. Luego trabajaba en mis habilidades de baloncesto y fútbol hasta que era la hora de ir al club para el entrenamiento del día. Al final de séptimo grado, tenía el noventa por ciento de ausencias.

Esos años fueron duros, no solo para mí sino para toda mi familia. No debió ser fácil para mi mamá trabajar largas horas solo para regresar a casa y ver a dos hijos rebeldes e infelices que le respondían mal. Pero al mirar atrás, no lo cambiaría por nada pues esos tiempos nos moldearon para ser la familia que hoy somos. Las pruebas producen resistencia, perseverancia y fortaleza de carácter. Eso también está en la Biblia.

Así que no le preguntes a DIOS: —¿Por qué a mí, Padre? ¿Por qué debo pasar por esto?

Solo resuélvelo y sigue adelante. Eso también lo aprendí de mi mamá.

Y doy gracias a DIOS por los deportes. Tristemente, los deportes fueron mi escape de la realidad y el único lugar donde no me sentía fracasado. Al ejercitarme todos los días en el parque y practicar mis tiros, vez tras vez, mejoré bastante. Aunque básicamente perdí el año escolar, tuve otra gran temporada de baloncesto y fútbol. Y gracias a eso, conocí a un hombre que influiría y moldearía mi vida para lo bueno durante los siguientes ochos años de mi vida y hasta el día de hoy.

# CAPÍTULO CINCO
# NUEVAS BENDICIONES

Oscar Cepeida, graduado de la universidad estatal de California, tenía un despacho legal en Alhambra, una buena zona en el sur de Pasadena. Amaba a DIOS, amaba a los niños, amaba los deportes y amaba dar a la comunidad. Como tenía cuatro hijos, se involucró en los deportes, aunque todos jugaban en diferentes equipos. Cuando lo conocí, entrenaba al equipo de baloncesto de la Unión Amateur Atlética (AAU), llamado Alhambra Magic.

Como una de las organizaciones deportivas más grandes de voluntarios en el mundo, la AAU ha formado campeones durante más de ciento treinta años. Ha visto competir a más de tres cuartos de millón de jugadores y ha reclutado a cerca de ciento cincuenta mil voluntarios, esto solo en los Estados Unidos. Oscar siempre estaba buscando nuevos talentos para su equipo. El director del club de Niños y Niñas de Pasadena le dijo que tenía al mejor jugador de once años que hubiera visto. Oscar vino a verme jugar. Después del partido, se acercó y me invitó a jugar para su equipo.

¿Qué vio Oscar en mi primer entrenamiento en la preparatoria de Alhambra? Un chico unos pantalones cortos, verdes y desgastados, una camiseta de la Universidad de Las Vegas y un pendiente de aro en mi oreja izquierda. Mis tenis corrientes tenían enormes hoyos en la suela, por lo que usaba varias capas de calcetines. Seguramente no la mejor imagen de mí mismo.

Mis nuevos compañeros de equipo traían el calzado apropiado, Nike y Reebok. Consciente de mis desventajas, pensé que serían como los otros, y se burlarían de mis zapatos y de mi ropa. Pero eso nunca sucedió y supe de inmediato que se debía a Oscar. No les dijo que no se burlaran de mí. No tenía que hacerlo, pues era un verdadero líder, un ejemplo a sus jugadores de cómo ser una buena persona. Exigía lo mejor de nosotros porque él daba lo mejor de sí mismo. Oscar quería lo mejor de las personas. ¡Punto!

Desde mi primera práctica con el Alhambra Magic, supe que no daría marcha atrás. La energía y el amor de Oscar por el juego eran evidentes en cada entrenamiento. Nos hacía mejorar cada día, pero también mostraba preocupación por sus jugadores. Le interesábamos como si fuéramos sus hijos. También vi rápidamente que Oscar tenía una profunda fe en DIOS. Siempre oraba con nosotros antes de las prácticas y de los partidos.

«Pongan a DIOS primero, oren y respeten a DIOS», nos decía, «y DIOS los cuidará».

Pero aunque amaba a mi nuevo equipo y a mi entrenador, ir a los entrenamientos hasta la Alhambra era una odisea. Quedaba demasiado lejos para caminar, y ya que practicábamos hasta tarde, no podía esperar que mi mamá manejara hasta allá para recogerme.

Afortunadamente, Oscar se ofreció a llevarme. Su vehículo era una Suburban suficientemente grande para llevar a todo el equipo, de ser necesario. Una vez que dejaba a todos en sus casas, me sentaba con él de copiloto rumbo a Pasadena. Me apenaba que mi entrenador tuviera que dar tanta vuelta pero lo agradecía pues la única otra opción sería no practicar o renunciar al equipo. Por lo general, Oscar se detenía en una tienda para comprarnos una bebida fría. Luego, mientras conducía, me hablaba de la vida y de la familia. Pronto empecé a abrirme con él y le conté sobre mi padre.

—Mira, Abe, eres un buen chico —me dijo Oscar—. Solo necesitas dirección. Estoy aquí para ayudarte a ser un joven exitoso. Pero si quieres seguir jugando para mí, tengo algunas reglas que debes seguir. Primero, debes respetar y amar a tu madre. Segundo, debes deshacerte de ese pendiente en la oreja.

Afortunadamente, lo dijo de buena manera. No me gustó la idea, pero entendí. El entrenador Oscar esperaba que sus jugadores lucieran limpios y respetables. Lo aclaró cuando habló de no usar pantalones a la cintura y otros estilos que no le gustaban.

—Y tercero —terminó—, mantén buenas calificaciones.

A estas alturas hubiera hecho todo por jugar para el entrenador Oscar. Pero, ¿cómo podía decirle que había faltado a clases casi todo el año anterior y que seguramente reprobaría el séptimo grado? Me sentía horrible, triste y avergonzado, todo al mismo tiempo. Estaba seguro que me echaría del equipo si se enteraba. Solo podía esperar que no lo hiciera.

Desde ese momento, Oscar se convirtió en una figura paternal muy especial en mi vida. Ken estuvo presente durante cuatro años y nunca olvidaré lo que hizo. Ahora él y su esposa educaban a su propia familia, y lógicamente nuestra relación de hermano mayor debía cambiar.

Pero como lo he comprobado, DIOS nunca nos abandona. Nos capacita de manera intensiva y nos prepara para el futuro, y cuando termina una parte del entrenamiento, nos lleva al siguiente nivel. Pero al mismo tiempo envía una nueva bendición. Ken fue la gran bendición que DIOS envió en un tiempo difícil de mi vida. Oscar y su familia fueron la nueva bendición.

El resto del año y del verano, continué practicando con el Alhambra Magic. De pronto me encontraba viajando con ellos a torneos en toda la región. Eso, en sí mismo, fue una increíble experiencia ya que nunca había salido del este de Los Ángeles. Tampoco me tenía que preocupar por hoyos en los zapatos o ropa desgastada pues el equipo proveía uniformes y Oscar me compró un nuevo par de zapatos para baloncesto. Ese año, a los doce años, me nombraron en la revista de baloncesto «Slam» el mejor guardia de tres puntos en la categoría de mi edad en todo el país.

Poco a poco, en los meses siguientes, me abrí más con Oscar. Ya casi terminaba mi séptimo grado cuando le confesé que no iba a la escuela. Él quiso saber porqué. Me daba miedo decirle. Estaba seguro que se enfadaría y me echaría del equipo. Pero finalmente le confesé cuánto odiaba la escuela alternativa, y cuán miserable y avergonzado estaba con los niños burlándose de mis zapatos desgastados, mi ropa y mi horrible acné. Ni siquiera me sentía seguro de ir por las muchas peleas en las que me metía.

# «Los tiempos difíciles son la preparación para una oportunidad futura».

## —Abe Cruz

Cuando acabé de hablar, esperé que Oscar me gritara. Pero en vez de enfadarse o juzgarme, hizo algo que yo no esperaba. Me preguntó si estaría interesado en asistir a la misma escuela que sus hijos, Todos los Santos, una escuela de preescolar a octavo grado, católica, multilingüe y privada.

Enmudecí. No sabía cómo responder. Finalmente dije: —No lo sé. Pero tal vez podamos hablar con mi mamá.

Realmente estaba emocionado camino a casa. No sabía nada de esta escuela, y no conocía bien a Oscar y a su familia. Pero en mi corazón sabía que esta oportunidad podía cambiar mi vida. Además, ¡cualquier cosa sería mejor que la escuela donde estaba!

Cuando Oscar se detuvo frente a mi edificio, no entramos enseguida. Más bien, nos quedamos sentados en los asientos de la Suburban gris mientras me describía cómo sería mi vida en la nueva escuela.

—Tu vida cambiará por completo, Abe. En la nueva escuela tendrás una excelente educación que te preparará para la preparatoria. Jugarás fútbol y baloncesto y ganarás torneos. Irás a la preparatoria donde ganarás más torneos que atraerán la atención de las universidades. Podrás ganar una beca deportiva para la universidad que te preparará para ser un profesional. Pon primero a DIOS, y DIOS te bendecirá y abrirá puertas para darte un buen futuro.

Realmente no entendí todo lo que Oscar describió, pero me gustó su visión de mi futuro y creí que esta era una puerta que DIOS abriría para mí. Desearía poder decir que en este momento pensé en poner a DIOS primero y vivir para él. La realidad es que solo pensaba en cumplir mi sueño de volverme un campeón como Michael Jordan. Lo que sí deseaba era un mejor futuro para mi mamá quien se había sacrificado tanto por sus hijos.

Por supuesto que esto solo sucedería si mi mamá decía que sí. Oscar y yo finalmente fuimos a ver a mi mamá. Sentados en nuestra pequeña sala, Oscar empezó a contarle lo que yo le había compartido sobre mis problemas en la escuela y cómo iba reprobando séptimo grado.

—Creo tener una solución. Puedo hacer que Abe y David entren a la escuela católica de Todos los Santos en Alhambra donde asisten mis hijos. Es una buena escuela que preparará a sus hijos para un mejor futuro.

En el momento que Oscar mencionó la palabra «privada», mi mamá empezó a sacudir la cabeza: —No tengo dinero suficiente.

—No se preocupe —le aseguró Oscar—. Todos los Santos tiene un excelente programa de ayuda financiera. Sé que podemos arreglar ese asunto. Lo importante es sacar a Abe de la mala situación en la que está. Quizá no se ha dado cuenta, pero su hijo tiene un talento especial. Tiene un gran potencial como deportista. Una buena educación puede marcar la diferencia.

Mi mamá no estaba muy convencida. A decir verdad, no sabía nada sobre mi nuevo mundo del deporte. Estaba demasiado ocupada trabajando, del consultorio al banco a limpiar casas en sus horas libres, así que no iba a nuestros partidos. ¿Cómo saber si éramos talentosos? Para ella, los programas deportivos nos mantenían lejos de las calles y los problemas.

Tampoco le parecía lógico que un completo extraño nos ofreciera una tan buena oportunidad de la nada. ¡Debía haber gato escondido!

Para mí todo era lógico. Después de todo, muchas celebridades, en especial atletas profesionales como Michael Jordan, habían recibido un trato especial. ¿Por qué no yo? No era caridad. Quienes recibían esas oportunidades debían trabajar duro y ser los mejores para recibir esos privilegios. Todo se resumía en sacrificio y trabajo, y yo estaba dispuesto a darlo con tal de ir a Todos los Santos. Estaba convencido que DIOS me estaba abriendo la puerta para un mejor futuro. Solo debía convencer a mi mamá.

Mi mamá siguió poniendo objeciones. ¿Qué del transporte? La escuela estaba más lejos que la preparatoria donde entrenaba con Oscar. Y había más gastos en una escuela de paga. Había que pagar por uniformes, libros y cuotas para distintas actividades. Oscar siguió asegurándole que todo tenía solución.

Finalmente, mi mamá dijo: —Muchas gracias. Pero no puedo tomar una decisión ahora. Deje que hable con mis hijos y me comunico con usted.

Cuando Oscar se marchó, mi mamá me hizo dos preguntas: —Dime, m'ijo, ¿confías en este hombre? Y, ¿de verdad quieres ir a una escuela donde no conoces a nadie?

—Sí, mamá, confío en este hombre —respondí sin titubear—. Y allí conoceré a más personas. Los otros chicos del equipo van ahí y me llevo bien con ellos. Por favor, por favor, mamá. ¡Déjame ir!

Rogué como nunca en mi vida. Mi mamá finalmente dijo: —Está bien, déjame sola. Déjame pensarlo. Te digo más tarde.

Quería insistir, pero sabía que si no obedecía, ella diría que no. Así que dejé el tema por la paz.

—Está bien, mamá, ¡te amo!

Más tarde, mi mamá sacó el tema de nueva cuenta.

—Debemos orar que DIOS Padre nos dé la respuesta y dirección. En la mañana tomaré una decisión.

No pude discutir. Nos arrodillamos y mamá oró: —DIOS mío, Padre nuestro que estás en los cielos, ¿realmente enviaste estas personas para ayudarnos? Por favor, muéstranos si esto es lo correcto.

Me fui a dormir con la anticipación de un futuro brillante. Al despertar a la siguiente mañana, mi mamá dijo que esta oportunidad, que ella nunca nos podría pagar, era la voluntad de DIOS.

—Anda, llama al entrenador Oscar. Dile que es un «sí».

Estaba tan emocionado que debí controlarme para marcar el número. ¡Estaba listo para un nuevo comienzo! Listo para más en la vida. *Gracias, ¡gracias, Padre DIOS!*

# CAPÍTULO SEIS
## UNA SALIDA

EN CUANTO LE DIJE A OSCAR QUE IRÍA a Todos los Santos, se puso a trabajar. Tuvo que pedir algunos favores para convencer al director de inscribir a un chico problemático, de una escuela alternativa, que se había ido de pinta casi todo el séptimo grado. El entrenador Oscar le aseguró que tenía potencial y mis habilidades atléticas ayudarían a que la escuela se diera a conocer. Debió ser convincente, ya que ese año David y yo fuimos a Todos los Santos.

Debido a que mi cumpleaños caía en verano, siempre fui uno de los más jóvenes en mi clase, así que repetir un año resultó una experiencia positiva y permitió que lidiara con lo académico, los deportes y otras áreas, con madurez. Esos dos años en Todos los Santos fueron de los mejores en mi vida. Todo lo que Oscar predijo, sucedió.

Para empezar, mi mamá decidió que si David y yo queríamos empezar de nuevo en esa escuela, debíamos mudarnos más cerca. No pudimos dejar de inmediato nuestro departamento por falta de recursos y el trabajo de mi mamá. Pero, puesto que yo pasaba mucho tiempo practicando y jugando para el entrenador Oscar, su hermano me invitó a vivir con él y su familia, pues sus hijos asistían al mismo colegio. Oscar y su esposa Ofelia tenían dos hijas y dos hijos, uno en el salón de David. También asistía a la iglesia con ellos.

Nunca había conocido una familia funcional y grande como la de Oscar, con ambos padres en casa y tíos, tías y primos viviendo cerca. ¡Me encantó!

Parecían la familia más perfecta del planeta. Tampoco había vivido en un lugar tan hermoso y próspero. La enorme casa estaba en un vecindario adinerado, con autos lindos y todo lo que una madre soltera, de escasos recursos no podía proveer. Ya que Todos los Santos era una escuela privada y bien valorada, los estudiantes, en su mayoría, tenían dinero y un nivel de vida más allá de lo que yo hubiera soñado. Una vez más, mis ojos se abrieron a las posibilidades de un mundo y un futuro diferentes.

Al poco tiempo, mi mamá se pudo mudar a Alhambra. Nuestro nuevo departamento tenía dos recámaras, así que por fin ella dejó la sala. Incluso tenía una piscina comunitaria. Me alegré por mamá, David y por mí. Pero eché de menos el estilo de vida que disfruté con los Cepeidas, así como el ambiente familiar. Esto influyó en algunas decisiones futuras, ¡y no de la mejor manera!

Aún así, mi nuevo comienzo sucedió tal como Oscar predijo. Jugué mi primera temporada de tocho bandera con la Organización de Jóvenes Católicos de Los Ángeles, el programa inter-escuelas para más de ciento setenta escuelas primarias y secundarias católicas del área de Los Ángeles. Anoté más de 107 touchdowns. Además, nuestro equipo terminó la temporada 38-0 y ganó su primer campeonato en la historia de Todos los Santos. Esa misma temporada, jugué fútbol tacleado para los Bobcats del este de Los Ángeles. Comencé como corredor y receptor, y terminé como mariscal de campo.

Siguió la temporada de baloncesto. Ya que jugaba para el equipo del entrenador Oscar y practicaba todo el año, estaba en buena forma. Me distinguía por usar mis zapatos de fuerza a donde fuera, incluso a la escuela. Se trataba de unas zapatillas deportivas para entrenar, con una plataforma especial que ponía estrés adicional en los músculos de la pantorrilla y los ejercitaban para correr más rápido y saltar más alto. Como los usaba todo el día, era el niño más fuerte y rápido en la escuela, y clavé mi primer balón de baloncesto a los doce años.

Iba bien académica y socialmente por primera vez en mi vida. Me gané el respeto del cuerpo estudiantil y los profesores. Ya que Todos los Santos era una escuela privada, todos usábamos el mismo uniforme, así que no llamaba la atención por mi ropa. Todavía tenía problemas con el acné, pero mejoraba. Y no había estado en una sola pelea o problema desde mi transferencia.

Dejé de robar en tiendas. Después de todo, mis zapatos, uniformes y otras necesidades escolares eran provistos. Pero un día, al principio de la temporada de baloncesto, salí a correr con mis zapatos de fuerza. Llovía a cántaros así que me puse mi chaqueta grande y negra del campeonato de fútbol. Corrí más de tres kilómetros hasta una farmacia, donde se me antojó un helado de menta y chocolate, mi favorito.

Sólo tenía un dólar, lo suficiente para un barquillo. Luego vi unas muñequeras, una declaración de moda que sería perfecta para mi siguiente partido. Ya que no tenía lo suficiente para ambas cosas, metí las muñequeras en el bolsillo de mi chaqueta. Pagué por el helado y salí de la tienda, comiendo mi helado y felicitándome por la sagacidad de mi robo.

Pero apenas salía por la puerta, cuando un guardia de seguridad me llamó. Mi barquillo se desplomó al suelo mientras me jalaba hacia dentro, donde me informaron que mi robo había sido grabado por la cámara. No podía discutir que se trataba de alguien más ya que mi chaqueta y mis zapatos deportivos eran demasiado llamativos. Pero estaba muerto de miedo. El guardia me hizo quedarme allí hasta que mi mamá llegó.

Mi mamá rápidamente arregló el asunto; devolvió las muñequeras, por supuesto, e hizo lo posible para que no me procesaran. Una vez afuera, tiró de mi oreja. Me jaló hasta el auto y me habló con firmeza: —Si alguna vez vuelves a robar algo, ¡no vendré a buscarte! ¡Te dejaré con la policía!

« El modo que manejas tus pérdidas determina y moldea tu futuro ».
—Abe Cruz

Supe que hablaba en serio. El ser atrapado y ver a mi mamá tan molesta fue suficiente castigo para no volver a robar en una tienda. En los siguientes meses, tuve más tareas en el hogar. Aunque, si bien se trató de una fuerte llamada de atención, no duró para siempre.

Por suerte, mi mamá no me prohibió jugar. Esa temporada, tuvimos otra racha increíble. Llegamos a las finales 15-0. En la semifinal me lastimé el tobillo, pero aún así ganamos y avanzamos contra la escuela de San Eugenio, el único equipo invicto. Nadie pensó que yo podía jugar, pero había visto a atletas como Michael Jordan y Magic Johnson jugar con lesiones, y estaba decidido a seguir su ejemplo.

Le puse mucho hielo a mi tobillo, lo vendamos y le añadimos un soporte. Me dolía, pero anoté casi treinta puntos, aunque no lo suficiente para ganar. Me decepcioné, pero mi tobillo se sanó y ganamos los siguientes treinta y cinco partidos, hasta estar 50-1. El campeonato de Jóvenes Católicos sería la revancha del año: las Panteras de Todos los Santos contra San Eugenio. Peleamos duro, pero al final, ellos ganaron. Terminamos la temporada 50-2, ambos partidos perdidos en contra del mismo equipo.

Merecían la victoria, así que no me enfadé tanto. Además, siempre había una nueva oportunidad al año siguiente. Me había acostumbrado a ganar, pero perder el campeonato me ayudó a comprender que en la vida no solo hay victorias y esto me trajo un poco de humildad. El modo que manejas tus pérdidas determina y moldea tu futuro.

En cuanto terminó la temporada de baloncesto, pasé directo a los viajes. Aún jugaba para el Alhambra Magic, pero Oscar sintió que estaba listo para un reto adicional, así que arregló que jugara para los 4-D Estrellas, un equipo que viajaba por todos los Estados Unidos para competir. Las 4-Ds representaban las palabras: Dedicación, Determinación, Deseo y Defensa. Ese verano, tuvimos uno de los mejores equipos de nuestro rango de edad y competimos contra los mejores. Fue una experiencia increíble que me mostró un nuevo mundo al que podía aspirar. Para entonces me sentía como un campeón y todo a mi alrededor parecía estar de acuerdo.

En el otoño, regresé a la escuela para mi octavo grado. La temporada de fútbol comenzó; teníamos un título a defender. Igual que en mi séptimo grado, fuimos imparables, con un récord invicto hasta las finales.

Entonces sucedió lo inimaginable. Había estado teniendo problemas con mi mamá. Ella decía que yo discutía todo el tiempo y le falta al respeto, y supongo que tenía razón. Como un adolescente normal, me quejaba de mis quehaceres y pedía dinero para comprar cosas que ella no creía necesarias.

Las eliminatorias estaban programadas para el siguiente sábado. Una tarde de esa semana, estaba viendo la televisión. Tenía calor, así que abrí la ventana para dejar entrar un poco de aire fresco. Mi mamá no quería que la ventana estuviera abierta, tal vez porque era invierno y desperdiciaríamos la costosa calefacción. Más de una vez, con amabilidad, me pidió que cerrara la ventana. Cuando la ignoré, lo repitió con más rudeza.

—Abe, quiero la ventana cerrada.

En retrospectiva, aún me cuesta creer lo que hice. Sin despegar la vista del televisor, dije: —Pues ¡yo la quiero abierta!

Caminando hacia la ventana, mi mamá la cerró con un golpe. En el instante que salió de la habitación, me paré y la abrí de nuevo. Cuando regresó y vio lo que había hecho, se puso furiosa.

—¿Crees que puedes ignorarme así? ¿Crees que puedes faltarme al respeto? —dijo con enojo—. ¡Está bien! Si quieres actuar así, no jugarás este fin de semana.

Sus palabras me petrificaron. De un salto, me puse en pie y grité: —¿Qué? No puedes hacerme eso, mamá. ¡Debo jugar!

Pero no cedió. Estallé con ruegos frenéticos: —Por favor, mamá, ¡lo siento! Lamento faltarte al respeto. Haré lo que me pidas. Puedes castigarme como quieras después del partido. Pero ¡tengo que jugar! ¡Sabes lo que esto significa para mí!

—Acepto tu disculpa —dijo mi mamá con tranquilidad—. Pero aún así no jugarás este fin de semana. Todas tus decisiones tienen consecuencias en la vida, m'ijo. Te di la oportunidad vez tras vez de obedecerme, y elegiste desafiarme. Elegiste faltarme al respeto. Así que este será tu castigo.

A los catorce años, ya casi alcanzaba mi altura adulta de 1,75, y con todos mis éxitos, me sentía importante y buena onda. Mi mamá me trajo de regreso a la realidad. No debió ser fácil mantener la disciplina de dos chicos más altos, pesados y fuertes que ella. Pero ella era firme y no nos dejó abusar de su autoridad.

—No me importa tu edad —me dijo—. Soy tu madre y siempre estaré al mando.

Para hacerlo todavía más vergonzoso, me obligó a llamar a Oscar. Tuve que explicarle el porqué el siguiente sábado no podría ayudar al equipo a ganar su segundo campeonato. Le dije lo que había sucedido, esperando que interviniera. Más bien, me preguntó: —¿Recuerdas las tres reglas que te dije que debías seguir si querías jugar para mí?

—Sí, claro —respondí.

Oscar continuó: —La más importante de esas reglas es y será que respetes a tu madre. Aún si no estás de acuerdo con ella. No importa si esté bien o mal. Es tu madre, y ¡siempre debes respetarla!

Sin titubear, añadió: —Estoy de acuerdo con tu mamá. Puedes venir al partido y mirar desde la banca. Pero no jugarás.

Me quedé sorprendido y con el corazón roto por la decisión de Oscar. Cuando llegó el sábado, me quedé en la banca mientras el equipo salía a la cancha sin mí.

*¡Soy un tonto!*, me dije a mí mismo. *Hice todo un lío por una simple ventana. Solo tenía que cerrar la mugre ventana. ¡Pero no lo pude hacer! Mi propia terquedad me ha hecho esto.*

Me senté y observé a mi equipo, el campeón defensor, perder. Habíamos roto todos los récords: el total de touchdowns, una temporada invicta, el primer campeonato CYO y todo lo demás. Nuestra buena suerte se acabó ese día. Estaba demasiado apenado y avergonzado para mirar a mis compañeros de frente. Debía estar ayudándolos en la cancha. En lugar de eso, pagaba el precio de mi egoísmo y estupidez.

Fue otra dura lección y, a mis catorce, una muy grande. Cuando regresé a casa, me disculpé con mi mamá.

—Gracias por enseñarme a hacer lo correcto—le dije y en verdad lo sentía—. Te amo, mamá. ¡Te amo!

# CAPÍTULO SIETE
# NADA PODÍA DETENERME, ¡EXCEPTO YO!

No tuve tiempo para lamentar mi fracaso ya que al día siguiente comenzamos el entrenamiento de baloncesto. La pasada temporada terminamos en segundo lugar detrás de San Eugenio. Este año estábamos decididos a ganar y lo hicimos. Por segundo año consecutivo, Todos los Santos y San Eugenio se enfrentaron en la final. Después del segundo cuarto, teníamos la ventaja.

Aún recuerdo algunos momentos especiales del partido. Primero, hice dos anotaciones de tres puntos, una tras otra, a una distancia mayor de cinco metros. Tenía la pelota cuando un defensa salió por ella. Podía haber tirado, pero decidí usar mis movimientos estilo Michael Jordan, simulando una anotación de tres puntos, luego botando el balón a la izquierda y directo al aro. Justo me preparaba para «besar el aro» cuando su jugador más alto intentó bloquearme. En pleno salto, detuve mi tiro, cambié de mano y terminé con una vuelta hacia atrás que puso la pelota justo dentro de la red.

Para mí no fue gran cosa; era un movimiento que había practicado cientos de veces. Pero la gente en el gimnasio estalló. San Eugenio luchó hasta el final, pero ganamos el campeonato, con un perfecto 55-0. Aunque no compensó perder el campeonato de fútbol, fue un claro avance hacia mi redención.

En general, tuve dos años maravillosos en Todos los Santos e hice muchas buenas amistades que han estado conmigo en las buenas y en las malas, hasta hoy. Todo lo que Oscar aseguró que pasaría, pasó. Ni una vez sufrí de burlas o acoso en Todos los Santos, y vi la diferencia de recibir una buena educación a comparación de mis otras escuelas.

También aprendí lo que otro buen amigo, mentor y exitoso hombre de negocios, el doctor Luis Arriaza, me dijo: —Hijo, no puedes salvar al mundo en bancarrota.

Las personas piensan que se refiere al dinero, o a hacer dinero para ayudar a otros. Y ciertamente muchos hombres de negocios de éxito han invertido billones de dólares en esfuerzos para salvar al mundo. Pero estar en bancarrota no es solo en el área financiera. Puedes estar en bancarrota en el aspecto familiar, o en tus relaciones personales, o en las redes sociales y en tu iglesia o en tus conexiones. No puedes aumentar tu potencial si estás en bancarrota y no tienes grandes personas en tu vida.

De niño, quizá no me di cuenta cuán rico era. Pero al ver atrás, sé que tener a Ken Mendoza como mi hermano mayor, al entrenador Oscar sacándonos a David y a mí de una mala situación, a mis muchos entrenadores y maestros invirtiendo en mí, y otros más en el camino que no he mencionado, recibí una enorme riqueza en el banco de la vida. También debo mencionar los programas comunitarios como Hermanos Mayores, Pop Warner, el club de Niños y Niñas, AAU y todos los voluntarios que los hacían posibles.

## « No puedes aumentar tu potencial si estás en bancarrota y no tienes grandes personas en tu vida ». —Abe Cruz

Este tipo de riquezas me ayudó a sobrevivir al fracaso y llegar a donde hoy estoy. Por eso creo firmemente en dar a los niños de escasos recursos y apoyar este tipo de programas. No se trata tan solo de ayudar en los deportes. Se trata de marcar la diferencia. Se trata de salvar vidas.

Volviendo al tema de Todos los Santos, como la escuela solo llegaba al octavo grado, ahora debía decidir qué preparatoria cursar. Con la guía de Oscar, elegí la preparatoria católica de San Pablo en el sureste de Los Ángeles por diversas razones. Primero, porque tenía un programa atlético de alto nivel. El entrenador de fútbol americano, Marijon Ancich, terminó su carrera con el segundo récord de más victorias en la historia de California y se le conocía como el «decano» de entrenadores de preparatoria porque muchos de sus jugadores y asistentes llegaron a ser atletas y entrenadores profesionales. San Pablo también tenía una excelente calidad académica con el 100% de sus egresados en la universidad y con muchas becas deportivas, que era mi aspiración. Un bono adicional estaba en que la hija de Oscar, dos años mayor, asistía ahí y se ofreció a llevarme en su auto.

Al inicio de mi primer año, Oscar me recordó: —Abe, ahora sabes que te dije la verdad sobre Todos los Santos y lo que podías lograr. Ahora vas al bachillerato. Debes enfocarte y trabajar duro porque lo que suceda ahí decidirá tu futuro. Ganarás más campeonatos. Te buscarán las universidades y los equipos profesionales.

Esta vez no dudé en sus palabras y tenía todas las intenciones de trabajar duro y continuar ganando. Incluso, antes de iniciar el año, empecé a practicar con el equipo junior de fútbol americano y baloncesto, en el mismo día. En poco tiempo, el entrenador del equipo principal de baloncesto me invitó a ser parte de su equipo también.

Puse mi alma y mi corazón en los entrenamientos. No lo hubiera logrado sin la ayuda de un gran amigo de Todos los Santos. Su familia se había mudado a unas cuadras de San Pablo cuando empezaron las clases. Ellos me alimentaban y me dejaban descansar en su casa después de la práctica de fútbol y antes de regresar a la de baloncesto. Si se hacía muy noche, me dejaban dormir en su casa.

Por supuesto que con mi trayectoria en Todos los Santos, no pensaba estar con los principiantes. Durante tres años había entrenado con los mejores, así que pensé que podría ir directo a los equipos titulares. La temporada de fútbol confirmó mi auto-confianza. Los entrenadores me pusieron en el equipo junior como un receptor abierto. Llevé al equipo a la victoria con treinta y cinco touchdowns y ganamos el campeonato de la liga 16-0. Gané el título al mejor atleta del equipo y ascendí al equipo titular la semana que empezaron las eliminatorias.

Mi buena racha no duró mucho pues el equipo titular quedó eliminado en la primera ronda. Para entonces, reconocí que el fútbol americano de la preparatoria, en especial en una escuela con la reputación de San Pablo, era de otro nivel físico. Había jugadores casi treinta centímetros más altos que yo y con el doble de peso. Aún así, el alumnado recibió bien a Abe Cruz, el atleta celebrado de Todos los Santos.

Luego empezó la temporada de baloncesto. Me emocioné cuando el entrenador me dijo: —De acuerdo, Abe, es la hora de la verdad. Estás en el equipo titular. ¡Hora de trabajar!

No me espantaba el trabajo duro. Una vez más, me di cuenta que la calidad de baloncesto en el bachillerato era otra. Si bien había sido alto para mi edad, ahora era demasiado bajito. La mayoría estaba entre el 1,80 y los 2 metros de altura. No me preocupaba mucho porque mis constantes rutinas de ejercicio me hacían, en mi opinión, el más rápido y el más fuerte en la cancha.

Sin embargo, pronto descubrí que mis compañeros de equipo no se alegraban de que un novato estuviera ya jugando con ellos. La mayoría cursaba el tercero o cuarto año y pensaron que debía pagar mi cuota antes de tener tiempo en la cancha. El entrenador, al parecer, estuvo de acuerdo, ya que me quedé en la banca mientras uno de último año ocupaba mi lugar.

Decidí enseñarles quién era. Empecé a quedarme un par de horas más para levantar pesas y ejercitarme. Cuando me dejaron jugar, supe que brindaba una ráfaga fresca de energía a la cancha. Pero ¡mi esfuerzo parecía no importar! ¿De qué servía ser un novato en el equipo titular si nunca abandonaba la banca? Por lo menos, si me hubiera quedado en el equipo junior, ¡estaría jugando!

Sabía que era una liga complicada y era claro que a los entrenadores les preocupaba que uno de primer año fuera intimidado. También sabía que los entrenadores no apreciarían que un novato se quejara por no jugar. Así que me mordí la lengua, me senté en la banca y esperé. Pero cuando nuestro equipo empezó a perder y aún no se me permitía jugar, comencé a cuestionar mi decisión de venir a San Pablo.

Desde mis inicios deportivos, nunca había enfrentado un reto como este. Había perdido uno que otro juego, pero desde que jugué mi primer partido en Pop Warner, siempre había sido considerado el mejor y había logrado casi todo lo que me había propuesto. Para mí, ganar era obvio, y no me gustaba ser echo menos. ¡Mucho menos ser parte de un equipo perdedor!

Entonces, perdimos otro partido. Esta vez el entrenador no me dejó jugar ni un minuto. Estaba listo para renunciar. Además, la vida académica era demandante. Me aseguraron que San Pablo sería una puerta para una beca deportiva universitaria. Pero no podía mostrar lo que sabía hacer en la cancha. ¿Para qué estudiar?

*¿Por qué estoy aquí?*, me preguntaba. *Si no me dejan ganar, ¿por qué me quedo en esta escuela?*

Cuando regresé a casa, llamé a Oscar. Después de verter todas mis quejas, le rogué: —No sé si esta fue una buena decisión. ¿Puedo irme? No puedo seguir con esto.

—Cálmate, Abe —Oscar me hizo callar con su tranquilidad—. No te mentí antes, ¿o sí? Tuviste un buen tiempo en Todos los Santos. No te miento ahora. Eres un novato, el más joven del equipo. Toma tiempo, pero si sigues trabajando y te mantienes enfocado, lo conseguirás. Todo ayudará para bien, lo prometo. Solo debes tener paciencia y conservar la fe. Hagamos una oración juntos.

Honestamente, no deseaba escuchar nada sobre la oración. Quería gratificación instantánea. Solo desearía haber aprendido la lección entonces. Me hubiera ahorrado mucho dolor y pena en los años venideros.

# CAPÍTULO OCHO
# ARRIBA Y ABAJO

No podía pensar en otra cosa excepto en ser más salvaje y agresivo en las prácticas. Al parecer, al entrenador le gustó mi empuje porque me dio más tiempo de juego en el siguiente partido. Todavía lo recuerdo como si fuera ayer. Jugué bien, pero los dos últimos minutos del partido cambiaron el resto de la temporada para mí. El marcador iba parejo. Robé la pelota y anoté tres puntos. Luego, en los últimos quince minutos, fingí un pase, avancé hacia la derecha y brinqué para encestar desde la línea de tiro libre. Empaté el marcador con trece segundos en el reloj. El gimnasio entero estaba loco de alegría.

Perdimos en el tiro libre de los últimos segundos, pero ese partido le mostró a mis entrenadores y a mis compañeros de más edad que estaba listo para el equipo titular aún si era de primer año. El siguiente partido comencé como titular. Jugué más de la primera mitad antes que el entrenador me cambiara, luego jugué casi toda la segunda mitad. Ganamos nuestra primera victoria en la liga.

*Muy bien, Abe, luchaste por este puesto,* me dije. *¡No lo pierdas!*

El siguiente partido fue un comodín que nos permitiría movernos hacia las eliminatorias, si lo ganábamos. Con una sola victoria en la temporada, no éramos los favoritos y nadie nos daba una oportunidad. Lideré al equipo en robar la pelota y al día siguiente salí en la sección deportiva del periódico de Whittier como «la sensación de primer año» y «el ladrón de Bagdad».

Durante el resto de las eliminatorias, empecé cada partido como titular y en cada juego robé los más balones. Para incredulidad de todos, ganamos por primera vez en la Federación Inter-escolar de California, campeonato de cuarta división. Solo Oscar se mantuvo sereno. Lo había predicho.

—Sabía que lo lograrías —me dijo con tranquilidad.

De ahí avanzamos al torneo estatal donde hicimos lo inesperado, ganando hasta las semi-finales. Perdimos por tres puntos, pero esto era más de lo que el equipo había logrado antes, y jugamos contra Baron Davis, uno de los mejores jugadores de bachillerato en el país quien llegó a tener una exitosa carrera en la NBA. Así que estábamos orgullosos de cómo trabajamos juntos. El resto de mi año fue maravilloso. Después de la temporada de baloncesto, añadí atletismo y voleibol. Por primera vez estuve en el cuadro de honor.

Pero no tuve tiempo para disfrutar el éxito. Fui directo a los entrenamientos de fútbol americano mientras aún jugaba en el equipo rotante de los 4-D. El fútbol americano era negocio serio en San Pablo con una leyenda viviente como Mariion Ancich de entrenador. Y debido a los campeonatos en mi primer año de fútbol y baloncesto, supe que se esperaría más de mí en el segundo año.

Luego, pasó lo inesperado. Jugaba con mi habitual agresión cuando me estrellé con todas mis fuerzas contra el ala cerrada. Cuando él salió volando, su pierna me golpeó justo en la entrepierna. Sin ir a más detalles, basta con decir que estuve fuera la primera mitad de la temporada y los doctores no estaban seguros que podría tener hijos. (¡Se equivocaron, afortunadamente!). Finalmente jugué mi primer partido con el equipo titular, pero no llegamos ni siquiera a las eliminatorias.

El baloncesto tampoco mejoró mi año. Empecé con una gran temporada pero terminé lastimándome el mismo tobillo que me torcí cuando jugué contra San Eugenio en séptimo grado. Nuestro equipo no llegó ni cerca de repetir el campeonato, y en lugar de seguir en otros deportes, pasé el resto del año y el verano sanando mi cuerpo. En suma, fue un año de heridas y mucho caos.

Una cosa que aprendí de esos años es que el talento no es suficiente. Algunos dirán: —Claro, Abe, para ti es fácil porque eres un atleta nato.

Está bien, las habilidades naturales son una gran ayuda. Debes darte cuenta cuáles son y perfeccionarlas, pero el talento innato no te llevará a ningún lado sin sacrificio, repetición y esfuerzo. Cuando tenía tiempo extra, no estaba sentado en el sofá jugando video juegos o mirando televisión. Estaba practicando. Aún a los diez años, los viernes por la noche, me ejercitaba mientras veía la televisión.

Y aún cuando te mates trabajando y pongas todo tu corazón en ello, no siempre ganarás. Algunas veces el otro será mejor, o tendrá más suerte, o será parte de un mejor equipo. El punto es: cuando seas derribado, levántate y llora por un minuto. Luego, cuando sea tiempo de volver, enfócate, reorganízate, ¡y vuelve a trabajar!

## « El talento innato no te llevará a ningún lado sin sacrificio, repetición y esfuerzo ».
### —Abe Cruz

Eso es exactamente lo que hice ese verano después de un triste segundo año. Debía trabajar duro. Además de entrenar fútbol y baloncesto, me esforcé e hice pesas, aumenté mi velocidad, hice ejercicios y estudié muchos partidos en la televisión para ver dónde podía mejorar.

Comencé mi tercer año más fuerte, totalmente sano, y sintiendo que era mi año para brillar. Debido a mis lesiones, no habían visto bien lo que podía hacer y eso cambiaría. Ya había ganado el campeonato de CIF en baloncesto y estaba decidido a ganar uno en fútbol americano. El chico tímido ahora mostraba una personalidad de confianza, auto-estima y carisma.

Por lo menos así lo creía. Mis entrenadores tenían otra perspectiva. Como escuela católica, San Pablo enfatizaba la humildad, el trabajo duro y la tradición, y esto incluía el campo deportivo. No se aceptaba el vestido, la personalidad o la actitudes escandalosas. Esto no compaginaba con mi nueva personalidad. En mi mente, estaba dispuesto a hacer todo lo que San Pablo representaba, solo que de un modo más moderno, escandaloso y llamativo.

Mi entrenador rápidamente notó que no mostraba la actitud esperada. Como mi entrenador de unos años atrás, pensaba sentar las bases de modo sistemático. Pero yo veía a mis héroes de la NFL como Deion Sanders hacer las cosas muy diferentes, y pensé que era lo suficiente bueno para seguir su ejemplo y no el de mis entrenadores. Llegué al punto en que mi entrenador amenazó con no ponerme desde el principio si no mostraba la actitud y seguía las técnicas que nos había enseñado. No quería perder tiempo de juego, así que consentí.

Mi actitud se reflejaba en mi forma de vestir. Creía que si me veía bien, jugaría bien, algo que aprendí de Deion Sanders. Usaba un cinturón rojo brillante y muñequeras. También decoraba mis zapatillas deportivas, envolviéndolas en cinta adhesiva colorida, teóricamente como soporte del tobillo, pero más bien como una declaración de moda. Los atletas de San Pablo no debían presumir, así que mis entrenadores lo vieron como una actitud engreída y un poco rebelde. Para mí, solo estaba mostrando buena clase.

Ese interés en crear mi propia moda deportiva empezó atrás cuando usaba capas de calcetines para protección pero también como un estilo propio. Jamás imaginé que esto me llevaría a establecer mi propia marca de ropa deportiva. ¡O que empezaría a diseñar mi marca en la prisión!

Pero a nadie le importó mi actitud o si rompía la tradición una vez que empezó la temporada de fútbol. Intercepté dos veces en cada uno de los primeros tres juegos. Al final de la temporada, estaba empatado nacionalmente por las más intercepciones y era el líder en el país en regresos por patadas de despeje. Llegamos hasta las finales y me vi en la portada del periódico deportivo de Whittier por una patada de despeje para otro touchdown.

Perdimos el campeonato por un gol de campo, pero estábamos orgullosos de nuestro trabajo y hasta dónde habíamos llegado. Tal vez demasiado orgullosos. Demasiada arrogancia. Cuando te acostumbras a ganar, empiezas a actuar como si tuvieras derechos y fui culpable de ello. A decir verdad, el otro equipo jugó mejor esa noche en particular.

Empecé la temporada de baloncesto en una nube. Llegaban cartas de programas universitarios de primera división como Notre Dame, USC, Nebraska, Arizona, Tennessee y otras más, interesados en que jugara fútbol para ellos en unos años. Aún no ganábamos un campeonato, pero era mi mejor año como atleta y pronto estuvimos listos para otro campeonato de baloncesto.

Entonces mi mundo se colapsó. Y nuevamente, no podía culpar a nadie, salvo a mí mismo. Debía mantener un promedio de 2.5 para jugar deportes. No repetí mi éxito de estar en el cuadro de honor. Con muchas horas de entrenamientos antes y después de la escuela, juegos de viernes por la noche y prácticas en sábado, por lo general me dormía en clase y no hacía las tareas. Pensé que iba bien hasta que recibí mi boleta en la primavera. Me sorprendió descubrir que iba reprobando química y geometría, y mi promedio era de 1.7.

Esto implicaba que no era elegible para jugar. Estaba tan molesto conmigo mismo que golpeé una pared con tal fuerza que casi me rompo la mano. No que importara, ya que terminé en la banca el resto de la temporada. Esto fue peor pues los reclutadores universitarios asistían para verme jugar.

Un reclutador se acercó para decirme: —Oye, Abe, ¿por qué no estás allá en la duela?

Fue humillante admitir que mis calificaciones no lo permitían. Aún peor, mi equipo perdió. El que nos venció llegó a ganar el Campeonato estatal. Con mi record, sé que hubiéramos ganado si hubiera estado en la cancha. Una segunda vez, decepcioné al equipo.

Esto no tenía que ver con ser perezoso o tonto. Tenía que ver con arrogancia y creerme con derechos. No me esforcé en mis estudios tanto como en los deportes. Había vuelto a mi mentalidad de excesiva confianza, pensando que todo se me daría en charola de plata debido a mi talento. Trabajaba duro en lo que quería trabajar duro y pensaba que el resto se solucionaría. Pero así no funciona la vida. Mis acciones egoístas afectaron a todo el equipo de baloncesto.

# CAPÍTULO NUEVE
# EN LA BANCA

YO ERA EL MÁS DURO CONMIGO MISMO. Mi mamá me dio un fuerte abrazo y me dijo que todo estaría bien. Mis entrenadores fueron sorpresivamente comprensivos. Como siempre, Oscar insistió en orar conmigo y añadió: —Solo deja que esta sea una lección para el futuro.

Y lo fue, una llamada más de atención. Que yo supiera, nadie en ninguna de las ramas del árbol genealógico de mi familia había ido a la universidad. Si quería ser el primero, me correspondía hacer algo. Mi mamá no podía ayudar con las finanzas. La única manera era ganando una beca deportiva. Eso implicaba mantener mis calificaciones en el mínimo para ser elegible.

Duplicando mis esfuerzos, logré aumentar mis calificaciones para terminar el año con un promedio de 3.2. Aunque fue un año decepcionante, tenía confianza en mi futuro. Mi tercer año deportivo había sido breve, pero con buenos momentos. Y todavía me quedaba un año entero para impresionar a los reclutadores.

Entrené todo el verano y comencé mi último año más fuerte que nunca. Mantuve mis calificaciones, decidido a no más drama. En la pre-temporada, logré entrar al equipo. Nos veíamos fuertes. De hecho, este equipo le daría al entrenador Marion Ancich su victoria número trescientos, haciéndolo el entrenador con más victorias en la historia de California, un récord solo batido por Bob Ladoucer de la preparatoria La Salle en Concord, California.

Nuevamente me contactaron escuelas de renombre como Notre Dame y Nebraska.

En el primer partido, salí al campo con confianza. Corrí en dos patadas para touchdowns. El estallido de la multitud era música en mis oídos. ¡Estaba de regreso!

De repente, me golpeó un camión de dos toneladas. De hecho, se trató de un defensa que pesaba más de ciento treinta kilos. Cayó sobre mi rodilla derecha, rasgando el disco lateral de mi menisco y el ligamento medio colateral. El dolor era terrible y podía sentir que mi rodilla colgaba de su cavidad como un títere con hilos rotos. Pero el fútbol americano es un deporte para machos y el entrenador Marion era uno de los más duros. Así que no me iba a revolcar en el pasto y retorcerme en mi dolor, ni permitir que una camilla me sacara de ahí.

Logré ponerme de pie sobre mi pierna sana y cojeé hasta la línea de banda. Había perdido la cuenta de cuántos periódicos u otros medios escribieron sobre mí y me llamaron un atleta de primera. No me sorprendió que mi lesión también saliera en la sección deportiva del periódico de Whittier con el titular: «Cruz en el banquillo, posiblemente por el resto de la temporada».

El médico del equipo estuvo de acuerdo. Sacudió la cabeza con tristeza.

—Lo siento, Abe. Pero se acabó. Por lo menos en esta temporada de fútbol americano. Tal vez te recuperes para la temporada de baloncesto, pero no ahora. Quizá necesites cirugía.

Quedé devastado. Pero no lo aceptaría. ¡No sin pelear! Después de todo, había llegado hasta este punto trabajando duro, negándome a rendirme y luchando por cada cosa que logré. Uno de mis entrenadores hizo arreglos para que visitara a tres especialistas. Dos recomendaron cirugía. Los tres me dijeron que esperara de seis a ocho semanas con rehabilitación.

Debido al tiempo de recuperación, la cirugía ponía un fin automático a los deportes. Mi mamá, Oscar y mis entrenadores oraron conmigo para tomar la decisión correcta. Al final, decidimos en contra de la cirugía. Comencé con la rehabilitación. Increíblemente, cuando volví con el especialista tres semanas después, el ligamento había sanado. El doctor lo llamó un milagro.

Di gracias a DIOS por sanar mi herida. Pero nada fue igual. Aunque jugué bien y estuve en el equipo, nos eliminaron en los cuartos de final. De ahí pasé al baloncesto, donde tuvimos una buena temporada pero no ganamos el campeonato. Mis calificaciones continuaban bien, pero era demasiado tarde para subirlas al nivel que interesarían a una universidad si no añadía los deportes a la negociación.

Mis compañeros estaban eligiendo a qué universidades ir el siguiente año. Yo seguía esperando escuchar de las grandes universidades de la primera división que me habían contactado dos años atrás. Hablé con varios entrenadores que dirigían programas importantes. Los que antes me habían invitado para una beca completa ahora me animaban a intentar entrar al equipo si me enrolaba en su universidad. ¿Qué estaba pasando?

## « ¡Siempre, siempre, siempre, ten un plan B! »
### —Abe Cruz

Finalmente, un entrenador de la primera división me dijo sin tapujos:
—Abe, eres un increíble atleta y te deseo lo mejor. Pero con tu lesión, no podemos arriesgarnos. Sí, tus calificaciones son un poco de problema. Pero no lo serían si no fuera por tu lesión. En pocas palabras, el fútbol universitario es más intenso y con esa rodilla, ¿quién sabe cuánto durarás en el campo?

Recibí el mismo rechazo de los programas de baloncesto de la primera división que se habían interesado antes. Aún recibía ofertas de colegios de segunda y tercera división, pero ellos tampoco me ofrecían becas completas. Cuando recogí mis resultados del examen de colocación (SAT) lo perdí todo. Aún con mi lesión, no eran lo suficiente para ayudarme a calificar para una beca universitaria en una escuela con equipos de primera división e incluso de segunda división.

La desilusión que sentí al finalizar el bachillerato es indescriptible. Estaba perdido. Confundido. Enojado definitivamente. Los deportes universitarios habían sido mi boleto a las grandes ligas. Al mundo. Por lo menos a la NFL o la NBA. Empecé a cuestionar los últimos ocho años de mi vida; todas esas horas, días y meses de entrenamiento. Mi futuro había parecido bueno. Después de todo lo que sufrí, tanto trabajo, tanto sacrificio, solo veía oscuridad. Y una vez más, sentí que todo era mi culpa. Bueno, casi todo. Lesionarme no estuvo en mi control.

La realidad es que desde que Oscar me aseguró que sería un campeón si tomaba su oferta de ir a Todos los Santos, jamás consideré un plan B. Vi una ruta directa a mi futuro en los deportes. Pero descuidar lo académico fue mi elección.

Al mismo tiempo, las largas horas de entrenamiento, prácticas y partidos, no solo en el año escolar sino en el verano, no me dejaban tiempo para estudiar. Y en definitiva había una idea general de que las buenas calificaciones no debían ser la prioridad de los atletas de primera, ya que la preparatoria y la universidad eran peldaños hacia las ligas profesionales, donde a nadie le importaban tus resultados académicos.

Si hay un importante mensaje que quisiera recalcar a los jóvenes atletas es tener un plan B. Eso incluye tomar lo académico con seriedad, sea en bachillerato o en la universidad, porque no sabes cuándo una lesión pueda poner fin a tu sueño de fortuna, gloria y contratos millonarios.

Terminé el año sin plan A ni plan B. Cuando finalizaron las clases, encontré un trabajo de bajo pago en una tienda departamental. De ahí en fuera pasaba el tiempo haciendo pesas, lamentando oportunidades perdidas y esperando el futuro.

Pasado un mes, llegó un mensaje de voz de un entrenador de la universidad de Nebraska, una de mis favoritas. Se disculpó por no tener becas disponibles.

—Pero, no te preocupes, Abe. Alguien te elegirá.

Su tono era gentil, pero para mí el mensaje era: «Lo siento, chico, ¡no te quiero!»

Este mensaje colmó mi plato. No tenía idea de qué hacer el siguiente año, pero vivir en casa y compartir la litera con mi hermano mientras iba a un colegio comunitario no era como había previsto el futuro. Seguía sopesando mis opciones cuando un compañero de equipo de San Pablo me llamó. Había aceptado una oferta para jugar fútbol americano en la universidad de Wisconsin-Stout. Me pidió que le mandara mi video al entrenador.

No sabía mucho de esa escuela, pero sin otras ofertas en la mesa, ¿por qué no? Por lo menos tenía un amigo allí. Envié la cinta. Luego esperé. Y esperé. Un mes después de empezadas las clases no había oído de esa ni otra universidad. Sentí que todo lo que había pasado en los últimos diez años desde que Ken Mendoza y Oscar Cepeida llegaron a mi vida se había acabado.

Entonces sonó el teléfono. Mi mamá respondió.

—¿Sí?

—Buenos días, señora —dijo la voz masculina—. Llama el entrenador Strop de la universidad de Wisconsin Stout. Estamos interesados en que su hijo venga a Wisconsin para tener una educación y jugar fútbol con nosotros.

Mi mamá sabía cuán deprimido había estado esos meses y pude ver su emoción cuando me pasó el teléfono. Al hablar con el entrenador, el alivio me recorrió así como una gran dosis de humildad. Comencé pensando cuán afortunada sería una escuela de primera división en tener al gran Abe Cruz jugando para ellos. Ahora estaba agradecido por cualquier oportunidad. Por fin, estaba de nuevo en el camino para ser el primero en ir a la universidad en la familia y podría resucitar mi carrera atlética.

# CAPÍTULO DIEZ

## OBSESIONADO

ANTES DE IR A WISCONSIN, OSCAR ME LLEVÓ a caminar por el vecindario y me dio un sermón paternal.

—Abe, sé lo que es estar solo en la universidad. Será muy diferente a vivir bajo la autoridad de tu mamá o yendo a una escuela con reglas estrictas como la de San Pablo. Habrá tentaciones. Especialmente con chicas. Las chicas universitarias pueden ser muy salvajes. Así que necesitas tener cuidado, Abraham. Debes controlarte. Debes mantener la fe en DIOS.

Para mí, Oscar era el padre que nunca tuve, así que escuché con amabilidad. Pero algo me había ocurrido en los últimos años. Aún creía en DIOS, pero había dejado de orar. Después de todo lo que DIOS había permitido que sucediera, como la pérdida de mis grandes sueños, la única persona en quien podía confiar ¡era en mí mismo! Me creía bastante capaz, si aplicaba mi propia ética de trabajo y la mentalidad de un campeón, para poner mi vida en orden y ganarme el futuro al que me sentía con derecho.

Mientras tanto, vivía mi juventud y, una vez lejos, aunque con buenas intenciones, pretendía divertirme. Y eso incluía a las chicas. Aunque había tenido algunas citas en el bachillerato, había estado demasiado enfocado en los deportes para una novia formal. Pero tenía suficiente auto-estima y condición física para saber que era tan atractivo a las chicas como ellas a mí.

No me sentí tan confiando cuando llegue a la universidad UW-Stout para el campamento llamado la «semana del infierno». Los jugadores de los grados superiores ¡eran monstruos! Los defensas medían hasta dos metros y ¡pesaban casi ciento setenta kilos! No solo eran grandes, sino que tenían serias habilidades atléticas.

Pero de inmediato me hicieron sentir parte del equipo, y yo tenía algo que ofrecer: velocidad y agilidad. Empecé a jugar como receptor. Esto me daba ventaja, pues muchos pasaban los primeros dos años solo tratando de ser aceptados en el equipo.

Esa temporada lideré al equipo en recepciones y capturé algunas pelotas que nos hicieron ganar varios partidos, también hice unos touchdowns en los últimos segundos. Ganamos la Conferencia Atlética Inter-escolar de Wisconsin por primera vez en la historia de la universidad con una temporada de 14-0. Esto me había pasado con tanta claridad desde las Panteras de Pasadena a los once años que llegué a creer que cuando Abe Cruz llegaba a una nueva escuela, la escuela ganaba un campeonato por primera vez.

Me nombraron el Recibidor del año. También iba bien académicamente. Con mi gran primera temporada, ya soñaba con transferirme a una universidad de primera división o incluso a la NFL.

Luego empezó la temporada de baloncesto y pronto descubrí que la miseria se repite tanto como el éxito. Una vez que acepté jugar fútbol para la UW-Stout, envié mi video al entrenador de baloncesto quien se alegró de tenerme en el equipo. Pero antes que iniciara la temporada, fue remplazado por un nuevo entrenador que trajo consigo a su propio jugador estrella al que había entrenado en su universidad anterior.

El nuevo entrenador de inmediato me informó que me dejaría fuera un año para que me preparara y así extendería mi tiempo de elegibilidad. Es decir, practicaría con el equipo pero no jugaría, así que mi primer año no contaría como uno de mis cuatro años de elegibilidad para el baloncesto universitario. Ésta era una técnica común si los entrenadores querían que un novato madurara o si ya tenían una posición ocupada por un estudiante de último año. También implicaba que el jugador podía extender sus requisitos académicos en cinco años y de ese modo mantener buenas calificaciones para estándares de elegibilidad.

Para mí significaba un año en la banca. Estaba furioso, especialmente porque constantemente demostraba ser mejor que el otro jugador. En las vacaciones de primavera, me fui a casa en lugar de practicar con el resto del equipo. Después de todo, no había visto a mi mamá ni a mis hermanos desde el verano, ¿y qué diferencia haría entrenar si no iba a jugar? Si bien fue lógico para mí, cuando regresé me topé con un entrenador enfurecido que me aclaró que había sido irrespetuoso y que me olvidara de jugar con la universidad mientras él estuviera al mando.

Logré terminar el resto del año enfocándome en mis estudios y ganando dinero. Mi beca parcial, más la ayuda financiera, no me daban dinero extra, y como pasaba tantas horas entrenando, no podía tener un empleo. Comía en la cafetería, pero con las calorías extras que quemaba, siempre tenía hambre. Además estaban las necesidades personales como shampoo, desodorante, Clearasil para mantener mi acné controlado, sin hablar de ropa decente ya que aquí no podía esconderme detrás de un uniforme escolar.

En la preparatoria había conseguido dinero cortándome el cabello y el de un amigo, así que empecé mi pequeño negocio de peluquería, principalmente entre los jugadores de fútbol. Expandí el negocio a entrenamiento personalizado. Mis estadísticas deportivas infundían el respeto suficiente para que las personas escucharan mi consejo y pagaran por él. Así que pasaba cada fin de semana cortando el cabello y entrenando a otros estudiantes.

Quiero aclarar que en este punto no tenía pensamientos egoístas. Estaba a más de tres mil kilómetros de mi hogar, sin familia, amigos o dinero. Volverme rico no estaba en mi mente, solo sobrevivir. De niño, solía recoger cucarachas de mi cereal, hacer fila para tener vales de comida en la oficina de asistencia social y comer una tortilla con mantequilla como alimento principal del día. No iba a pasar hambre otra vez y, si eso implicaba trabajar, lo haría.

Al mismo tiempo, no había olvidado mi sueño de un futuro brillante y bien pagado como un atleta profesional. Mi tiempo en Todos los Santos y San Pablo, así como en los hogares de amigos adinerados, me hicieron probar el estilo de vida refinado que nunca lograría con un salario de oficinista. ¡O cortando cabello o entrenando estudiantes sin buena condición física! Lograr ese sueño a través de la NFL u otros deportes aún era mi plan A. Pero con repetidos obstáculos, ya no me sentía tan confiado. Debía haber un plan B. ¿Pero cuál?

## « Si actúas confiado en que tendrás éxito, la gente lo creerá ». — Abe Cruz

Con esto en mente, regresé a casa ese verano para una breve visita antes de regresar para la pre-temporada de fútbol. En casa, algunos amigos me introdujeron a la «mercadotecnia de niveles múltiples» o una compañía MLM. Permíteme explicar cómo funciona. Consta de un esquema piramidal. Si se hace bien, puede ser un modelo excelente y ético que sobrepasa el paradigma estándar de empleado-empleador y hace que cada participante sea un asociado con una inversión en la compañía. En lugar de un salario, el dinero se gana por medio de comisiones, tanto de ventas directas como de las comisiones de asociados en un nivel inferior.

Allí es donde surgen los multi-niveles. Cada asociado recluta más asociados debajo para vender cualquier producto que la compañía ofrezca. Los que están abajo pagan una comisión por sus ventas al asociado más arriba que los reclutó, quien a su vez paga una comisión a la persona que lo reclutó. Entre más subes en la pirámide, más ganas. Además de tus propias ventas, cuentas con los que los miembros inferiores te están aportando.

Las comisiones por ventas no son nada nuevo. Se remontan a los vendedores de puerta en puerta que ofrecían enciclopedias o aspiradoras. Y tampoco es nuevo el modelo MLM. Amway, Mary Kay y Tupperware son ejemplos conocidos. Era 2001, el inicio del boom de ventas por Internet. Amazon, Google, eBay y otras compañías tuvieron éxito con este modelo.

Así que, ¿cuándo se vuelve esto un problema? La Comisión Federal de Comercio (FTC) hace la diferencia entre un esquema piramidal contra una compañía legítima cuando casi todo o todo el esfuerzo y el dinero viene de reclutar a otros en la línea espiral de representantes más que en las ventas del producto. Típicamente, los participantes inferiores pagan una cuota o un «paquete» para unirse. Si eso provee la ganancia para los de arriba, la principal fuente de ingresos no viene de vender un buen producto sino de reclutar a otros.

Con más y más personas en una zona, muy pronto se satura el mercado. De acuerdo a la FTC, más del 95% de los reclutados nunca ven una ganancia. Y ya que reclutar, y no la venta del producto, es la fuente principal de ingresos, una vez que un área se satura, los ingresos cesan. Después supe que la compañía promedio cae en bancarrota en dos o tres años. Por cierto, esto no es un problema para los que están arriba de la pirámide ya que, sencillamente, pueden retirarse con sus comisiones en las manos.

Pero carecía de esas estadísticas y no estoy seguro que me hubieran importado. Después de todo, en cualquier pirámide, pensaba que Abe Cruz debía estar en la cima y que si los de abajo no trabajaban tan duro como yo para triunfar, ese era su problema ¡no el mío!

La compañía en la que mis amigos estaban ofrecía un tipo de servicio por correo electrónico que prometía sacar a AOL del mercado. Costaba cuatrocientos veinte dólares unirse para ser un consultor de comercio electrónico. Cualquier cosa relacionada con servicios de Internet sonaba legal y moderno. En mis pocas semanas en casa, vi a chicos de mi edad o menos, conduciendo BMWs, Bentleys, Ferraris y Lamborghinis con fajos de billetes, trajes Armani y todo con lo que los pandilleros sueñan.

—Entonces, ¿de qué se trata? —le pregunté a mis amigos—. ¿Cómo ganas dinero?

Ya que todos buscaban agrandar su línea inferior, me explicaron con gusto. Me llevaron a una reunión de reclutamiento, donde el orador nos dijo que él ganaba veinticinco mil dólares a la semana y nos explicó que con una razonable ética laboral, haríamos lo mismo. Para lograrlo, debía pagar mi cuota, asistir a la capacitación y comenzar a hacer presentaciones para reclutar gente debajo de mí.

La frase «ética laboral» llamó mi atención. Si estos amigos podían ganar tanto dinero con poco trabajo, yo los superaría. Era tan listo como ellos, así que, ¿no podía ser yo el que se enriqueciera? No sería tan complicado como ir en contra de un jugador defensivo del doble de mi peso. Por fin había encontrado mi plan B.

Tenía una semana más antes de volar de regreso y asistí a una presentación de cinco días seguidos. Lo primero que hice fue comprar y leer libros sobre liderazgo y auto-desarrollo, así como las biografías de exitosos hombres de negocios. Algunos empresarios también vinieron a darnos pláticas sobre auto-desarrollo y actitudes emprendedoras. Aprender de hombres que cambiaron sus negativos a positivos me hizo sentir que podía ser parte de ese mundo glamoroso y exclusivo. Y quiero aclarar, a pesar de lo que pasó después, que los principios básicos de liderazgo que leí y escuché son válidos y me han hecho bien desde entonces.

El séptimo día hice mi primera presentación, recluté a dos personas y recibí mi primer pago. Cuando recibí mi porcentaje, mi pago fue de treinta y nueve dólares, pero probé que el sistema funcionaba. Además, había visto los cheques que algunos conocidos recibían y eran bastante jugosos.

También aprendí la importancia de «vestir para impresionar, vestir para tener éxito». Al crecer en pobreza, supe a la mala que la gente te juzga por cómo vistes. Así que este principio se me hizo lógico. La primera vez que volé a Wisconsin, fui en pantalones deportivos, la gorra hacia atrás y pendientes. Esta vez usé un traje y una corbata, y cargué un portafolio.

El jugador de la ofensiva que me recogió en el aeropuerto se me quedó mirando.

—Cruz, ¡casi no te reconozco! ¿Qué te pasa?

Esto me dio la oportunidad de dar mi primer discurso. En pocos días, tenía a un grupo de jugadores curiosos y dispuestos a escuchar sobre el nuevo y mejorado Abe Cruz. Aún jugaba fútbol, pero fuera de los entrenamientos iba a clases vestido como un modelo de la revista GQ, en pantalones y camisa. Junté a media docena de mis amigos más cercanos en el equipo y les mostré el calendario promocional de la compañía, que cada mes tenía un auto deportivo que anunciaba su logotipo.

—¿Ven estos autos? Todos pertenecen a personas arriba en la organización. En Los Ángeles, miles de asociados ganan cincuenta, cien, incluso mil dólares al mes. Si suena demasiado bueno para ser realidad, no lo es. Vi sus autos y sus cheques. Verifiqué que fueran legítimos. El Buró de Buen Comercio los enlista como una compañía de tecnología en ascenso. Wisconsin es un territorio nuevo, así que podemos aprovecharlo.

Mis amigos vieron al nuevo Abe, me escucharon y me creyeron. Luego empezaron a reclutar su propia línea descendente. En pocas semanas, estábamos ganando dinero. Ya que yo estaba arriba de ellos, obtenía entre mil quinientos y dos mil dólares a la semana. Me sentía imparable y en el quinto cielo. Pero al igual que un jugador compulsivo con la adrenalina de la primera victoria, me empecé a obsesionar.

Me obsesionó el éxito.

Y por supuesto, ¡el dinero!

# CAPÍTULO ONCE
# ¡DINERO RÁPIDO, CAÍDA RÁPIDA!

ALGUNOS DE NOSOTROS DECIDIMOS dejar los dormitorios en la universidad y compartir una casa. Se trataba de un departamento típico de solteros, con pocos muebles fuera de los colchones inflables. Solía sentarme sobre el colchón, vestido con traje y corbata, y dar mi discurso a un grupo de atletas y estudiantes en ropa deportiva.

A estas alturas, medio equipo de fútbol se había afiliado o preguntaban cómo hacerlo. Íbamos de los dieciocho a los veintidós años de edad y todos estábamos hambrientos del éxito y de ganar dinero fácil y rápido. Las noticias volaron: Abe Cruz había traído una increíble nueva oportunidad desde Los Ángeles y se estaba haciendo rico. Incluso algunos entrenadores me preguntaron cómo inscribirse.

Aún seguía jugando fútbol. Mi horario resultaba pesado. Me despertaba temprano para entrenar. Luego clases todo el día. Fútbol por la tarde. Luego más reuniones hasta la noche. Después, llamaba a mi superior en Los Ángeles, un chico de diecinueve años que con sus ganancias recién había comprado un auto deportivo NSX Acura, que costaba cien mil dólares. Le daba mis reportes: cuántas personas en la reunión y cuántas personas se inscribieron.

A su vez, él me ayudaba a ponerme metas semanales y mensuales. No se me ocurrió que hubiera algo raro en que un chico de diecinueve años tuviera tal poder o un buen puesto en la compañía. Mi único otro trabajo había sido en la tienda departamental, así que no tenía un contexto real para juzgar si estas cantidades de dinero eran realistas. Además, me pagaban a tiempo y siempre lo prometido. ¿Cómo no podía ser legítimo?

En poco tiempo estaba ganando cinco mil dólares en una semana. Me cuesta describir mi estado emocional. Me sentí bien de ganar campeonatos atléticos y salir en los periódicos y revistas. Pero tener una cuenta de banco y cerca de mil dólares en efectivo en el bolsillo resultaba un sentimiento diferente y muy poderoso ¡que me encantaba! Mi confianza voló a los cielos.

Tristemente, el dinero no se quedaba mucho tiempo en mi bolsillo. Por primera vez en mi vida podía comprar cualquier cosa que quisiera, y lo hice, como zapatos italianos hechos a mano de mil dólares el par, o cadenas de oro y otras joyas, o trajes, camisas y cinturones a la medida. Me interesó la moda desde mi época de «varias capas de calcetines», y ahora empecé a diseñar mis propios conjuntos.

El territorio de Wisconsin crecía con tal rapidez que la compañía me nombró una estrella en ascenso. También enviaron a uno de sus líderes para trabajar conmigo y orientarme. Para entonces teníamos más de doscientos «e-consultores» solo en el pequeño campus de Menomonie, la mayoría atletas y estudiantes de la universidad UW-Sout. Cada uno tenía su propia línea descendiente o de auspicio, así que el área se saturó. Empezamos a movernos hacia los poblados cercanos y los otros campus universitarios. Cada fin de semana, rentábamos una sala de conferencias en un hotel y dábamos sesiones de capacitación.

Sin embargo, aún cuando mis líderes inmediatos y yo seguíamos ganando buen dinero, las grietas comenzaron a aparecer en nuestra pirámide. Primero, muy pocos de mis asociados en mi línea de auspicio reclutaban a nuevas personas. Nuestro grupo local de doscientas personas atendía las capacitaciones, pero rara vez traían clientes potenciales. Ya que eran estudiantes universitarios, llegaban ebrios o crudos por lo que no prestaban mucha atención a la capacitación.

Al mismo tiempo, los de más abajo se quejaban por no ver las ganancias prometidas. Los culpaba a ellos, no al sistema, por su falta de éxito. Un principio que aprendí de todo esto es que si quieres triunfar debes trabajar duro. Yo estaba ganando buen dinero. Pero también pasaba horas y todos mis fines de semana en juntas, buscando reclutas, haciendo presentaciones, sin olvidar mi carga escolar y deportiva. Muchos de estos chicos universitarios querían el dinero sin esforzarse o sacrificar su tiempo.

Mi líder de Los Ángeles confirmó mi tesis.

—No puedes traer el éxito a personas que no lo quieren.

—Pero esto afecta a los de arriba —respondí—. Debemos mostrarles de lo que se están perdiendo.

Él se encogió de hombros. —Un verdadero líder también debe saber cuándo es tiempo de avanzar y seguir adelante.

Entonces me mostró sus pagos más recientes de ¡veinticinco mil dólares!

—Jamás llegarás a este nivel jugando futbol y yendo a clases. Con el empuje que tienes, podrías ganar hasta cien mil en un mes. Pero debes enfocarte. Debes dedicarte a esto.

Me sorprendió y enfadó su sugerencia, principalmente porque él conocía mi objetivo de jugar en la NFL o la NBA y nada se comparaba a lo que esos atletas ganaban. Por otro lado, mi líder no mentía. Los cien mil al mes serían lo menos que ganaría como un atleta profesional, pero sin riesgos ni dolor.

Para entonces empezaba a desilusionarme con el prospecto de una carrera en el fútbol americano. Sin importar cuán rápido fuera o cuánto entrenara, mi físico recibía una paliza por jugadores que pesaban el doble en cada partido. Por supuesto, una carrera en la NFL pagaría millones. Pero con una lesión seria, acabaría sin nada. Aún más, un atleta profesional de mi estatura solo podía tener unos cuantos años activos. Con mi nuevo negocio, podía usar mi mente en lugar de castigar mi cuerpo. Aún si no veía resultados inmediatos, podrían ser más duraderos.

Además, mis entrenadores no estaban muy contentos. Con medio equipo en mi línea de auspicio, en lugar de pensar en el deporte, hablábamos de las juntas que teníamos o cuánto dinero podíamos ganar. Mi nuevo mentor también me convenció de usar autos de lujo con el logotipo de nuestra compañía para hacer publicidad y esto incluía la cancha. Él estacionaba su auto oscuro, un convertible NSX Acura, a plena vista de los jugadores.

El entrenador me llamó aparte y me dio una firme advertencia: —Abe, estás distrayendo a los demás. Si quieres jugar en mi equipo, mantén tu negocio fuera de mi cancha. ¡Incluyendo a tu auto!

—No hay problema.

Inmediatamente le pedí a mi líder que quitara su convertible de ahí. Pero esa noche, empecé a pensar seriamente en el siguiente paso. Aún podía ser el fútbol. ¿Pero la NFL? Mi entrenador me aseguró que podía entrar a las ligas profesionales. Si no en la NFL, en la liga europea o en Canadá, Brasil, Australia o Japón.

Sin embargo, cualquier lugar que no fuera la NFL pagaba entre cien mil y doscientos cincuenta mil dólares anuales. Y para lograrlo, debía jugármela en la cancha y aceptar el dolor cada vez que un defensor me tirara, lo que me ponía en riesgo a una nueva lesión.

Mientras tanto, mi líder de diecinueve años ya ganaba cien mil dólares al mes, y solo viajaba y daba cursos de liderazgo. Aún cuando jamás lograra ese nivel, podría tener cinco mil dólares a la semana. Eso me daría veinte mil dólares al mes. Una vez que desglosé los números, la decisión me pareció obvia.

El único inconveniente era que amaba jugar fútbol tanto como al dinero. Seguía indeciso al día siguiente durante el entrenamiento. Nos pusimos a practicar estrellando nuestros cuerpos contra unas pesadas bolsas montadas en unos trineos. Me consideraba musculoso, pero no era alguien de ciento treinta kilos. Mi contribución al equipo el año pasado se había debido a mi velocidad y no a mi constitución.

Así que me molesté cuando mi entrenador gritó: —¡Hazlo otra vez, Cruz! ¡Golpea más fuerte! ¡No seas un debilucho!

Otros jugadores se unieron al grito mientras yo golpeaba la bolsa tres, cuatro o cinco veces: —¡No seas un bebé, Cruz! ¡Qué debilucho! ¿Qué te pasa?

Por supuesto que usaban un lenguaje más soez y muchas malas palabras. En mis nueve años de fútbol nadie, ni jugadores ni entrenadores, me habían gritado así, lo que me sorprendió y enfadó. En el pasado, me habría mordido la lengua pues era el precio para permanecer en el equipo. Pero ya que tenía un plan B en mente, no me controlé. Quitándome el casco, lo tiré al suelo.

## « El fracaso y las caídas no son el fin sino el comienzo de una nueva misión ».
### —Abe Cruz

—¡Se acabó! ¡Me largo de aquí! —grité con ira.

Salí furioso de la cancha hacia los vestidores. Mis compañeros aún me gritaban ofensas. No entendí porqué me trataban así. Aunque, con la mitad del equipo debajo de mí, era probable que los que más gritaran fueran aquellos que aún no veían ganancias en la compañía. ¿Tendrían envidia de mi éxito?

El entrenador me siguió.

—¿A dónde vas, Cruz? ¡Regresa ahora mismo!

En los vestidores me obligó a sentarme.

—Cruz, ¿qué te pasa? Dime qué ocurre.

—Ya no quiero esto —dije entre dientes—. No tengo porqué soportar este abuso. Tengo otros planes. Ya estoy harto.

—No lo estás. Solo estás enojado. Regresemos a entrenar. —Cuando no me moví, dijo: —Mira, Cruz, toma el día libre y descansa. Nos vemos mañana.

Pero al día siguiente falté al entrenamiento. Mi teléfono sonó de inmediato.

—¿Dónde estás, Cruz? —preguntó el entrenador.

—Ya se lo dije. Ya me harté. —Al decirlo, me di cuenta que era verdad. Las últimas veinticuatro horas me facilitaron renunciar, no solo al fútbol sino a la universidad. Entraría a un nuevo capítulo de mi vida y ganaría el dinero que merecía. Le colgué a mi entrenador, llamé a mi líder y le dije que seguiría su consejo. Me llevó a cenar a un restaurante caro para celebrar.

Tal como imaginé, los siguientes meses confirmaron mi decisión. Ya que no vivía en el campus, fue fácil enfocarme al negocio de tiempo completo. Me expandí a otras partes de Wisconsin e incluso a Minnesota e Illinois. Mi meta era ganar 10 000 al mes.

Me encantaba viajar y dar charlas. Descubrí que me gustaba enseñar a otros cómo ser mejores personas mientras yo me enriquecía. Continué leyendo libros sobre desarrollo personal, que podía resumir en un mensaje: cree en ti mismo y persigue tus sueños. Sonaba a un mensaje diferente a lo que aprendí de mi mamá, Ken, Oscar, mis maestros y mis entrenadores de la escuela católica sobre poner a DIOS primero y servir a otros después. Pero funcionaba. Estaba persiguiendo mis metas ¡y consiguiéndolas!

Las cosas no empezaron a venirse abajo hasta que mi líder volvió a Los Ángeles. Dijo que yo era capaz de manejar mi territorio. Ya tenía casi mil asociados bajo mi cargo. Pronto vi que no era capaz de supervisar a los nuevos líderes, ni dar presentaciones en lugares tan lejanos como Minnesota, el norte de Wisconsin o Chicago.

Empezaron las quejas. En cada presentación aclarábamos que no todos los asociados pueden asegurar una ganancia, así como no todos los jugadores hacen un touchdown. El éxito depende en cuánto trabajo inviertes. Como en los deportes, no existe la gratificación instantánea.

Por supuesto, no entendí que en una estructura piramidal los de hasta abajo estaban destinados a perder sin importar su esfuerzo. Así que empecé a recibir más y más llamadas exigiendo un reembolso o amenazándome con demandas legales. Debatí si debía contactar a mi líder. Después de todo, él se había marchado confiado que yo podía y no quería admitir que estaba en problemas.

Sentí alivio cuando mi líder me llamó, quizá presintiendo mis problemas. Pero antes que pudiera compartirlos, él dijo: —Abe, siéntate. Debemos hablar.

Su tono sombrío hizo que mi corazón se acelerara. No tenía buenas noticias. Pregunté con preocupación mientras buscaba una silla: —¿Qué sucede?

—Escucha, me has ayudado a ganar mucho dinero. Así que quiero hacerte un favor. Ahorra tu dinero mientras puedas pues la compañía va a cerrar.

Lo escuché con incredulidad. ¿Por qué la compañía cerraría? ¿Qué sería de todas las personas a las que convencí de inscribirse y dar dinero? ¿Todos los que dependían de mí? ¿Todos los amigos personales y conocidos y compañeros de equipo además de los miles de desconocidos? ¿Qué pensarían de mí cuando se enteraran?

—Pero, ¿por qué? —exigí—. ¿Qué ocurrió? ¿Qué cambió? ¿Por qué ahora?

Mientras oía a mi líder comprendí que esta no era una catástrofe inesperada. Los de niveles más altos habían comenzado esta aventura con una estrategia de salida. Ahora sé porqué muchas personas sienten un hormigueo en el estómago cuando alguien menciona la frase «esquema piramidal».

Después me enteré que este no era el primer negocio del empresario que fundó nuestra compañía. Y no sería la última. Terminó ganando millones antes de ser acusado por la Comisión de Comercio Federal (FTC). Logró llegar a un acuerdo sin ir a juicio por una fracción de lo que había juntado y recibió una muy vaga orden de no participar en más negocios de estilo piramidal. Unos años después, descubrí que la comisión cerró seis más compañías similares, fundadas por el mismo director ejecutivo, una que incurrió en una multa de diez millones por ser considerada un esquema piramidal.

—Escucha, Abe, realmente lo siento —finalizó mi líder—. Solo quería que lo supieras mientras aún hay tiempo de sacar tu dinero. Ahorra mientras puedas. Te llamo luego.

—¿Y qué de mis asociados? ¿Qué se supone…?

La llamada terminó. No supe qué había pasado o qué debía hacer. Me quedé ahí aturdido. Parecía una de esas películas donde tu vida pasa frente a ti en cámara lenta. Abandoné la escuela para esto. Dejé el fútbol. Cambié todo lo que había logrado en nueve años por la palabra de un tipo que me garantizó éxito si trabajaba para él. ¡Y trabajé para él!

De pronto se me ocurrió por primera vez que mi líder había tenido un buen motivo para que yo dejara mi sueño y no tenía nada que ver con asegurar mi futuro. *Su* línea descendiente ganaría más dinero si yo me dedicaba al negocio de tiempo completo a que si jugaba fútbol para la universidad o recibía un título universitario. Una lección más para la vida. Nunca dejes que alguien tenga tanto poder en tu vida, especialmente si solo tienes su palabra.

¿Y qué debía hacer? Mi única ambición desde los ocho años había sido jugar deportes. Ahora era un exjugador de fútbol americano y un desertor escolar. Ni siquiera podía seguir el consejo de ahorrar pues lo había gastado todo. Solo me quedaban unos cuantos miles de dólares. Nuevamente estaba por los suelos, sin salida.

O eso pensé.

# CAPÍTULO DOCE
# LA BUENA VIDA

¡GRACIAS A DIOS POR LAS MAMÁS! VOLÉ a Los Ángeles sintiéndome un fracasado. Después de mi éxito, ¿qué diría mi mamá si regresaba a vivir con ella?

Pero no debí preocuparme. Mi mamá me dio la bienvenida con los brazos abiertos y me aseguró: —No te preocupes, m'ijo. Todo estará bien.

No que estuviera muy preocupado en ese momento. Después de todo, tenía cerca de veinte mil dólares ahorrados. Además, ya no tenía entrenamientos o juntas para ocupar mi tiempo, así que pensé disfrutar la vida.

Intenté regresar a la universidad una vez más y me inscribí a la universidad comunitaria del este de Los Ángeles para jugar con el equipo de baloncesto. Pero parecía un retroceso después de mis otros logros, así que renuncié a los cuantos meses. Después de todo, ¿a dónde me llevaría esa liga? Y para colmo, debía volver a las tareas y a los exámenes. Llevaba ya casi un año fuera del salón de clases, dedicándome a ganar dinero a manos llenas. No me veía a mí mismo empezando desde abajo otra vez.

Deseaba algo mejor. Aún más, tenía absoluta confianza en que podía lograrlo. No había permitido que las opiniones de otras personas o sus reglas me frenaran en alcanzar mis objetivos y, una vez más, sentí que dependía de mí mostrar mis capacidades. Si había trabajado duro para lograr mucho dinero y rápido, podía hacerlo otra vez. Solo debía encontrar la oportunidad correcta.

Mientras tanto, a los veintiún años, tenía tiempo de sobra y ningún entrenador u otra autoridad para decirme qué hacer o no. Empecé a pasar más y más tiempo en los clubes nocturnos. Aún me preocupaba mi condición física, así que no me dejé llevar por el alcohol. Tampoco fumaba, ni consumía drogas. Pero me gustaba lo aparatoso, la música y conocer a nuevas personas, en especial a chicas bonitas. También encontré una nueva pasión: el baile. En mi niñez no aprendí a bailar, pero como buen atleta tenía ritmo y flexibilidad. Hip-hop. Salsa. Tango. Solo me bastaba ver un paso de baile para imitarlo.

Muy pronto todos sabían quién era Abe Cruz. No olvidé lo que aprendí en mi aventura en los negocios. Me vestía para impresionar. Si actúas como alguien exitoso, la gente se lo cree. Presumía mis trajes hechos a la medida, mis zapatos caros y la joyería que compré en Wisconsin. Gastaba unos mil dólares o más en una sola noche para tener una mesa VIP donde festejaba con cuatro o cinco chicas y otros nuevos conocidos. La gente se arremolinaba a mi alrededor y disfrutaba la fama.

Sin embargo, en menos de seis meses, me di cuenta que mis veinte mil habían bajado a cinco mil, luego a dos mil, y de pronto a menos de quinientos dólares. De repente, no solo estaba desempleado, sino ¡en la quiebra! Mi burbuja se había reventado.

Durante toda mi vida, hacer ejercicio ha sido mi escape cuando las cosas se ponen feas. Cuando regresé a Los Ángeles, me inscribí en un gimnasio cercano. También empecé a aprender Taekwondo, el arte marcial coreano que se enfoca en técnicas de saltos altos y rápidos, así como patadas y giros. Me pareció algo que congeniaba con mis habilidades de fútbol y baloncesto. Con Hollywood tan cerca, imaginé que podía ser el futuro Van Damme o Jackie Chan.

Al ver mi condición física, el gerente del gimnasio me ofreció un trabajo de inmediato. Me daba un poco más del salario mínimo, más comisiones. Como sentí que era muy poco, lo rechacé. Pero sin otra opción a la mano, después acepté el empleo. Me frustré demasiado pronto. El cheque semanal por seis a diez horas de trabajo solo llegaba a unos cuantos cientos de dólares. Había ganado diez veces más a los diecinueve años. ¡Debía existir otra manera de ganar dinero rápido!

La ventaja de trabajar en el gimnasio era que conocí a personas de poder, dinero e influencia, incluyendo a algunas celebridades. Sin importar el fracaso de mi negocio multi-nivel, aprendí muchas lecciones de liderazgo. Así que quiero compartir algunas. Todos los días, durante todo el día, mientras estés rodeado de personas, serás juzgado y evaluado. Y nunca sabes con quién te vas a topar. Esa persona puede ser la persona con poder e influencia que cambiará tu vida por completo.

Así que siempre debes ser la mejor persona que puedas. Debes ser amable, amigable y respetuoso con todos. Si eres una persona de fe e integridad, lo serás, de cualquier manera. Sin embargo, no sabes las oportunidades que puedan presentarse en un encuentro casual. O las oportunidades que puedas perder porque fuiste grosero, impaciente, arrogante o poco acomedido con alguien que no consideraste digno de tu atención.

Poco tiempo después de empezar a trabajar en el gimnasio, conocí a un actor, bailarín y modelo muy talentoso que buscaba bailarines para sus videos musicales. Me sugirió hacer una audición para su siguiente video.

—Si consigues el trabajo, ganarás quinientos o seiscientos dólares por ensayo, y ochocientos el día que filmemos.

Eso era más de lo que ganaba en el gimnasio en una semana. Mi única experiencia de baile se resumía a los pasos que aprendí en la pista de los centros nocturnos. Pero lo peor que podía pasar sería fracasar en las audiciones. Mi mentalidad siempre ha sido que si no lo intentas, no puedes ganar.

Me presenté a la audición y lo logré. Me divertí mucho aprendiendo la coreografía y grabando el video. En los siguientes meses, participé en un total de ocho videos y recibí varios miles de dólares. De ahí surgieron algunas actuaciones y sesiones de modelaje.

También aprendí de otros entrenadores cómo mejorar mis ganancias en el gimnasio. Los miembros del gimnasio pagaban cuarenta dólares por sesión en el paquete que les ofrecían, mientras que el entrenador solo recibía el salario mínimo. Algunos miembros dejaban que su paquete expirara y mejor le pagaban al entrenador veinte dólares de forma directa, lo que resultaba en una ganga para el cliente y el doble de dinero para el entrenador. Aunque no estrictamente legal, casi todos lo hacían. Y ya que el gimnasio tenía cerca de mil miembros y formaba parte de una cadena nacional, nuestro negocio alterno no afectaba a los dueños lo suficiente para interesarse en ello.

Uno de mis clientes regulares era un agente inmobiliario. Le gustaba mi ética de trabajo y me ofreció una pasantía en su oficina. De cinco de la mañana a las once atendía a mis clientes en el gimnasio, así como por las tardes cuando salían del trabajo. Así que tenía algunas horas libres a medio día. El agente me llevó a trabajar en su negocio de bienes raíces, donde completaba el papeleo, ayudaba con hipotecas y llamaba a los bancos para solucionar cosas relativas con los préstamos.

## «No sabes las oportunidades que puedan presentarse en un encuentro casual, así que siempre sé la mejor persona que puedas». —Abe Cruz

El problema estaba en que las inmobiliarias funcionan por comisiones, así que por varios meses no gané nada de dinero. Y como no tenía un permiso oficial, mis comisiones se dividirían, mitad para mí, mitad para mi jefe. Por fin logré una comisión de dieciséis mil dólares y me tocó la mitad, por un trabajo de tres meses. Aún no era lo que yo anhelaba.

Entonces llegó la sequía, pues se acabaron los trabajos de baile y de modelaje. Me repetía: —Abe, debe haber una manera de ganar diez mil a la semana. Ya sabes lo que se siente tener tanto dinero. No eres un cirujano. ¿Qué otro tipo de trabajo puede reditar tanto?

Los bienes raíces tenían buen potencial, pero podía llevar años llegar a la cima. Entonces, un día en el gimnasio, escuché a unos jóvenes conversando sobre cuánto dinero estaban haciendo al promover clubes nocturnos y todas las chicas guapas que conocían en el proceso. Supe que era mi oportunidad. Después de todo, había demostrado ser ambicioso. Era un experto en la vida nocturna. Si podía vender paquetes de comercio electrónico a completos desconocidos, seguramente lograría abarrotar los clubes con clientes. Pero, ¿por dónde empezar?

Había estado saliendo con una chica que me convenció de tomar clases de salsa en un club llamado La Granada, no muy lejos del gimnasio. Hablé con el dueño y lo convencí de dejarme ser el anfitrión de una noche de hiphop. Tuve que garantizarle por lo menos 5000 dólares en venta de alcohol. El resto y un porcentaje por las entradas serían mis ganancias.

¡Manos a la obra! Algunas celebridades y estrellas del baloncesto local que conocí a mi regreso me debían algunos favores, así que los llamé. Hice volantes y traje a mi propio DJ, mis bailarines e incluso una estrella porno. Llegaron más de mil personas y me llevé mil dólares esa noche. Desafortunadamente, cuando combinas tanta gente con el alcohol, alguien terminará haciendo el ridículo. Y para probarlo, hubo una pelea en la puerta de la entrada. El dueño del club no quiso volver a repetir el experimento.

Aunque decepcionado, comprendí su postura. Pero también supe que había encontrado la manera de ganar buen dinero. En resumen, lo que ganaba en el gimnasio se volvió en dinero para mis chicles. Los promotores de los clubes ganaban mucho más, sin olvidar que traían chicas sexy del brazo.

Unos días después, un amigo me llamó para decirme que le había impresionado mi evento en La Granada.

—Tengo un lugar en mente. Bobby McGee en el condado de Orange. Me están dejando hacer unas noches de promoción. ¿Nos asociamos?

No me lo dijo dos veces. Bobby McGee era un club nocturno al otro lado del centro comercial Brea y muchos estudiantes de la universidad Fullerton iban allí. Podía ver los signos de dólares en mi mente.

—¡Por supuesto! ¡Hagámoslo!

Nuestra gran noche de apertura fue un éxito, con más de cuatrocientas personas. Llegaron muchos estudiantes universitarios, así como compañeros míos de la preparatoria y de otras escuelas contra las que jugué. Fue una gran noche. Pero otra vez, el alcohol y tantas personas se combinaron de manera tóxica. Casi para el cierre, se desató una pelea en el estacionamiento entre dos jugadores de fútbol de distintas universidades.

Creo que se pelearon cerca de treinta personas, así que aparecieron una docena de autos patrulla. Los policías arrestaron a los peleoneros. Otros huyeron de allí. Afortunadamente, nadie resultó herido. Pero esto fue peor que lo que había pasado en La Granada.

—No había ganado tanto en mucho tiempo —nos dijo el dueño, mientras nos repartía nuestra parte—. Arreglen el asunto con la policía y prepárense para el siguiente fin de semana.

Fue el inicio de uno de los períodos más locos de mi vida. Siempre me he arriesgado y trabajado sin descanso. Pero esta vez exageré. Entrenaba con mis clientes de cinco a ocho. Comía y hacía mi propia rutina de ejercicios por dos o tres horas, luego entrenaba a más clientes y me dirigía a la agencia inmobiliaria. Más tarde regresaba a trabajar al gimnasio, a excepción de los jueves cuando me iba directo a casa de la oficina inmobiliaria para cambiarme de ropa y conducir hasta el condado de Orange.

El club cerraba a las dos de la mañana, así que para cuando terminábamos de limpiar, recoger el dinero y conducir hacia la Alhambra, eran las tres y media o cuatro de la madrugada. Con suerte, me echaba una siesta antes de ir al gimnasio. De lo contrario, pasaba treinta y seis horas sin dormir.

Para complicar las cosas, un día, mientras descansaba junto a la piscina en el exterior del gimnasio después de una sesión, alguien me habló.

—Oye, muchacho, ¿cómo te llamas? Deberías estar en mi show.

Se acercó a mí. Era un hombre mayor, pero en excelente condición física. Lo había visto en el gimnasio, pero nadie nos había presentado.

—Soy Abe Cruz —respondí respetuosamente—. ¿Y a qué show se refiere?

Se presentó como Lonnie Teper. Su show era el campeonato de físico-culturismo NPC Junior Cal, conocido como el clásico de la costa oeste de Lonnie Teper.

Después me enteré que Lonnie era una leyenda en el mundo del periodismo y el culturismo, así como un editor de *Iron Man* (la revista más impresionante del físico-culturismo), el maestro de ceremonias para el clásico anual de Arnold Schwarzenegger y otros muchos eventos del mismo tipo, así como el anfitrión de la competencia local de Muscle Beach.

Ese día solo me habló sobre el show que se avecinaba en dos semanas.

—Tienes gran potencial, muchacho. Deberías participar.

Como imaginarás, me sentí honrado porque una personalidad de los medios y el deporte se interesara en mí. Pero dos semanas no eran suficientes para prepararme, sobre todo porque no sabía nada de culturismo.

—Solo entreno para tener una buena condición física —le expliqué—. No sé cómo se participa en uno de estos concursos.

—No necesitas saber mucho —sonrió—. Con abdominales como las tuyas, estás listo.

Entre más hablaba, más quería competir. Pero había un problema importante: me había comprometido a unas vacaciones familiares el mismo fin de semana.

Eso no impidió que Lonnie insistiera: —Entonces será el próximo año.

Empecé a entrenar más duro, inspirado por la confianza de Lonnie en mí. Surtió efecto. Dos años después, participé en el concurso y salí de ahí con el trofeo de tercer lugar. Pero esto solo añadió al caos de mi vida. Para mantener el paso, me alimentaba de bebidas energizantes y la adrenalina.

Una vez más, ganaba dinero rápido. Y una vez más, era un adicto de las prisas.

Había olvidado la dolorosa lección del año pasado: dinero rápido, caída rápida. Los atajos, las fiestas descontroladas, los horarios de locos fueron parte del tren desenfrenado a punto de alcanzarme. Pero ¿no pasa así con todo en la vida?

# CAPÍTULO TRECE

## IGNORADO

NUNCA OLVIDES QUE LA VIDA PUEDE cambiar en un instante. Pero cómo reaccionas a los cambios y al impacto que esos cambios traen a tu vida y tu futuro depende mucho de las decisiones que hayas tomado hasta el momento.

Con todo el dinero que estaba ganando, pensarías que había aprendido la lección y por lo menos estaba ahorrando. Después de todo, tenía bastante experiencia ahora en cómo la abundancia puede convertirse en sequía.

Tristemente, una vez más empecé a gastar el dinero tan rápido como llegaba. Cuando tuve mi primera comisión de bienes raíces, llevé a mis amigos a celebrar y pagué más de mil doscientos dólares. Si antes gastaba mil dólares en una noche para impresionar a las chicas, ahora gastaba más. Viajé a Las Vegas. Compré ropa, relojes y zapatos de marca; todo lo que pensaba me haría lucir más exitoso. Todo era parte del show. Era el sueño que había esperado alcanzar por medio de los deportes profesionales y ahora lo estaba consiguiendo a los veintidós años.

Quizá te preguntes qué pensaba mi mamá de mi nuevo estilo de vida. ¿Y Oscar? Al igual que antes, mi mamá estaba demasiado ocupada trabajando largas horas para darse cuenta qué hacía con mi tiempo. Estaba tranquila porque tenía un empleo estable y contribuía con los gastos de la casa.

En cuanto a Oscar, me hubiera dado la bienvenida por segunda vez con amor y amabilidad. Pero yo sabía que él estaba decepcionado de mí. No porque había echado a perder el plan A en el que había invertido tanto, pues a él solo le importaba que tuviera un buen futuro, sino por el estilo de vida que llevaba. Veía que estaba sin control. Observaba cómo tomaba malas decisiones. Pensaba que le estaba dando la espalda a DIOS. Aún me invitaba con frecuencia a la iglesia y fui un par de veces cuando me quedé a dormir en su casa.

Sinceramente, no tenía interés en la iglesia o en DIOS. Ocasionalmente oraba por la bendición de DIOS. Pero no quería pensar en DIOS o en lo que DIOS opinaba de mis elecciones. Me consideraba una buena persona. Después de todo, no consumía drogas. No había matado a nadie. No me emborrachaba ni me metía en peleas. Había hecho algo de mí. Las personas en mi mundo respetaban mis logros. Lamentaba haber herido o desilusionado a Oscar. Pero él ya no tenía autoridad sobre mí para decirme cómo vivir o qué hacer.

Aún así, mis decisiones pronto me arruinarían. Ya tenía algunos problemas con la promoción de los clubes nocturnos, en especial en cuanto a las mujeres. La ley decía que debías tener veintiún años para entrar a un centro nocturno. Había ido con una chica de veinte años. Yo no le vi problema. Si una regla me parecía tonta, entonces pensaba que no aplicaba a mí. El dueño se puso furioso pues los policías podrían clausurarlo si se enteraban. Una vez más, dejé que mi egoísmo lastimara a alguien que había sido bueno conmigo.

El dinero tampoco llegaba tan rápido. Me sorprendí al descubrir que mi cuenta solo reflejaba unos cientos de dólares. Entonces una noche, todo se vino abajo. Conducía a casa desde una discoteca a las cuatro y media de la mañana, totalmente cansado porque había estado despierto veinticuatro horas seguidas. Tenía un cliente a las cinco, así que no podía ir a casa sin antes pasar al gimnasio. Había pasado ya el condado de Orange hasta Alhambra, y estaba como a quince minutos del gimnasio, cuando me quedé dormido al volante.

Mi último recuerdo fue de un semáforo en rojo al frente. Un Mercedes se detuvo y yo choqué contra su salpicadera trasera. El golpe del impacto me despertó. Seguramente iba frenando cuando me quedé dormido porque el Mercedes no se veía tan dañado. No se podía decir lo mismo de mi Acura Integra.

El otro conductor era una mujer pequeña, mayor y de ascendencia asiática. Salí del auto, pidiendo perdón profusamente.

—Señora, ¿está bien? ¡Lo siento tanto!

Agradezco que ella no pareciera herida. Mientras inspeccionaba su parachoques, recordé que no había pagado mi póliza de seguro. Cuando me pidió información, le rogué que no hablara a la policía y le expliqué que no estaba asegurado.

—Por favor, señora, pagaré los daños yo mismo, lo prometo. Sin importar lo que cueste.

Aún estaba en shock cuando me di cuenta que podría haber muerto yo ¡o ella! Pero no se me ocurrió orar o agradecer a DIOS que nadie resultara herido. Solo pensaba en mi auto dañado y dónde encontraría el dinero para pagar de mi bolsillo por ambos autos. Mi preocupación debió transmitirse pues ella volvió a revisar le pequeña abolladura en su salpicadera.

—Está bien, hijo —dijo con amabilidad—. No te preocupes por ello. Solo sé más cuidadoso.

Regresó al Mercedes y se marchó. Mi Acura se veía bastante mal, pero tenía que ir al gimnasio. Logré arrancarlo y llegar. Se me había hecho tarde para mi primer cliente así que corrí adentro. Agradecí haber salido del embrollo por el accidente pues había sido cien por ciento mi culpa. A la mitad de la sesión, me vino a la mente que componer mi auto costaría una fortuna. Una fortuna que no tenía porque lo gastaba todo en mis salidas nocturnas.

Las cosas fueron de mal en peor. Después del accidente, renuncié a las promociones de los clubes nocturnos, así que ese dinero dejó de llegar. Tampoco había comisiones en la inmobiliaria, así que estaba de regreso a mis ganancias del gimnasio. No podía componer mi auto, así que me quedé sin uno. Pedía a amigos que me llevaran al gimnasio, a la oficina inmobiliaria e incluso a las clubes nocturnos. Después de mi estilo de vida derrochador, este fue un duro golpe a mi imagen. No quería que mi nuevo círculo social supiera que estaba en la bancarrota, así que dejé de salir con chicas.

Entonces mi mamá tuvo problemas financieros. Considerando que vivía en su departamento y no pagaba renta, era obvio que debía ayudarla. Pero, ¿con qué? De tener mi vida de ensueño, había pasado a estar constantemente estresado por el dinero. Y una vez más, no podía culpar a nadie salvo a mí mismo.

# « Cuando caigas, levántate, reenfócate, reorganízate y ¡vuelve a trabajar! »
## —Abe Cruz

Entonces me enamoré de una modelo que posaba en bikini para el bloqueador solar Hawaiian Tropic. Era absolutamente preciosa y yo creí que era la indicada para mí. Empezamos a salir, principalmente en las tardes del fin de semana cuando no tenía entrenamiento. El problema era que no tenía auto ni dinero. A veces salíamos con mi hermano y su novia, lo que solucionaba el tema del vehículo. En otras, convencía a David o a mi mamá de prestarme el auto para salir con ella.

Por mis cuestiones financieras, pedía prestado dinero para gastar en los clubes. En una ocasión traté de impresionar a la chica y le compré una bolsa Louis Vuitton. Para mostrar mi estado mental, no podía pagar la compostura del auto ni las facturas de la casa de mi mamá, pero gasté mil quinientos dólares una bolsa para la breve satisfacción de impresionar una chica.

Para entonces me enteré que mi nueva novia provenía de una familia rica y estaba acostumbrada a un estilo de vida fastuoso. Nunca la traje a casa para conocer a mi mamá pues no quería que supiera que vivía en un pequeño departamento. Más bien, la pasábamos en la hermosa casa de su familia o conducíamos a lugares en su lujoso auto deportivo.

A final de cuentas, admití que pedía prestado autos. Le expliqué sobre el accidente y la situación financiera de mi mamá, luego le dije que deberíamos dejar de vernos pues no podía pagar una salida al cine, ni un restaurante barato. Su respuesta fue comprensiva y dulce. Al igual que la dueña del Mercedes, me dijo que no me preocupara. Tenía su propio auto, mucho dinero y no le incomodaba pagar en nuestras citas.

Su reacción tan empática me hizo enamorarme aún más de ella y pensé que ella sentía lo mismo por mí. Entonces una tarde, mientras esperaba que me recogiera, recibí una llamada de su número. Cuando respondí, era una de sus amigas.

—No irá por ti —la amiga me dijo de modo cortante—. Quiere terminar contigo y no debes contactarla otra vez.

—¿Qué? —No podía creer lo que oía—. ¿Quién habla? ¿Qué quieres decir?

—¿No me oíste? ¡Ella ya no quiere nada contigo!

Con eso, colgó. Al principio sentí que algo me clavaba el corazón. Luego decidí que era una broma. La chica que amaba jamás haría eso. Esperé unos minutos y volví a llamar.

Respondió la amiga de nueva cuenta.

—Abe, ella no quiero hablar contigo. Dice que terminó contigo.

—Pero ¿por qué? —pregunté, totalmente confundido—. ¿Qué pasó? ¿Qué cambió?

—Es mejor así —dijo la amiga—. No llames de nuevo

Por segunda vez me colgó. Esta vez no sentí mi corazón apuñalado sino como si hubiera explotado. Me abrumaba tanto el dolor y la confusión que me encontré en el suelo, bañado en lágrimas. Mi falta de dinero y mi auto inservible debían ser la razón por la que ella había roto conmigo. Quería creer que su amiga la había empujado a esta decisión. La verdad es que sabía que venía de una familia adinerada y gustos refinados. Dijo que no le importaba mi situación financiera, pero al ver la realidad de mi familia y mis ingresos, decidió que yo no pertenecía a su clase social.

No vi a la chica nunca más ,ni volví a hablar con ella. Me «ignoró». Cuando traté de llamar a su número, estaba bloqueado. Ahora reconozco que estaba más infatuado con esta chica que enamorado. (Aprendí la diferencia cuando conocí al amor de mi vida, ¡mi hermosa esposa!). En ese momento, estaba devastado.

Aún peor, la confianza que había tenido en los últimos años se evaporó. Volví a ser el flacucho inadaptado social con acné, que ninguna chica querría para el resto de su vida.

# CAPÍTULO CATORCE
# DESESPERACIÓN Y DECISIONES

DURANTE VARIOS DÍAS ME QUEDÉ EN CASA. Lloré y me deprimí. Mi mamá vino y me abrazó.

—No llores, m'ijo, estarás bien. Saldrás de esto. Encontrarás a alguien mejor. De todos modos, esa chica no era lo suficiente buena para ti. —Es lo que una mamá debe decirte, ¿o no? Me volvió a abrazar y añadió: —Dios tiene un plan para ti.

Mi mamá lo decía con frecuencia. De niño, le creía. Ahora no estaba tan seguro. Pero sabía que no podía quedarme allí lamentándome y llorando. Tampoco iba a dejar que la traición de una mujer arruinara mi vida. Debía levantarme y pensar en soluciones financieras rápidas. No es que quisiera ganar dinero para regresar con mi novia. ¡No quería saber más de ella! Solo quería tener dinero para mostrarle mi éxito.

Y para ayudar a mi mamá, por supuesto.

Seguí de dos formas. Primero, no enseñé a nadie mi corazón roto. Volví a los centros nocturnos y a las mujeres. Bailaba, coqueteaba y así mostraba a quien quisiera ver, que las mujeres encontraban a Abe Cruz atractivo. Pero eso no resolvía mi situación financiera. Me había acostumbrado al éxito, y estaba decidido a hacer lo necesario para recuperarlo.

Así que, ¿cómo haces dinero rápido sin habilidades para la NFL o inteligencia tecnológica? Se me habían acabado las opciones. Mientras trabajaba en el gimnasio por casi nada de dinero, buscaba mi nueva oportunidad. Pero nada apareció.

Entonces un viernes por la tarde, me uní a un grupo de amigos en un centro nocturno en Hollywood. Esa noche el club tenía un concurso de cuerpos con un gran premio de quinientos dólares. Decidí intentarlo. Se veía suficientemente fácil. Debía quitarme la camisa, sacudir las caderas y flexionar mis abdominales. Quince minutos después de bailar frente a una muchedumbre ruidosa, gané el primer lugar. Se trataba del dinero que obtuve de la manera más fácil hasta el momento. Mientras recogía los quinientos dólares, pensaba: —Muy bien, ¿dónde es el siguiente concurso?

Me enteré que había uno al día siguiente. El premio solo era de cien dólares, pero me tomó diez minutos ganar. Gané algunos concursos más, juntando ochocientos en una semana por treinta minutos sobre la tarima. Pensé que había encontrado mi nueva vocación.

Pero no había tantos concursos alrededor. Lo que gané se fue igual de rápido. Entré a un concurso en Pasadena, pero esta vez perdí contra un tipo que era un profesional. Le dio al público un show digno de un estriptis en Las Vegas. Yo realizaba mi típica rutina de baile cuando mi oponente se quitó los pantalones. Un grupo de mujeres alcoholizadas saltaron al estrado para ayudarle a quitárselos.

Luego se fueron contra mí y me pidieron que también me quitara la ropa. Me hice para atrás, sintiendo repugnancia. ¡No me estaba divirtiendo! Y por supuesto, el otro tipo ganó. Me fui con cincuenta dólares de segundo lugar. Para esa cantidad de dinero, decidí que no valía la pena doblegar mi orgullo y mi dignidad.

Entonces una mujer vestida elegantemente se me acercó, con un guardaespaldas detrás. Me vio de arriba abajo.

—Te veías bien allá, Abe. ¿Sabes? Con ese cuerpo podrías estar ganando dos o tres mil dólares por fin de semana en Las Vegas haciendo justo lo que hiciste allá arriba. Sin competencia. Solo ganancias directas.

La escuché hasta que explicó que era una reclutadora para un grupo de centros nocturnos estriptis en Las Vegas. Para mí, quitarme la camisa por un premio no era diferente a estar en el show de culturismo de Lonnie

Teper. ¿Pero un acto de desnudo como el que mi oponente había hecho? ¿Mujeres arrancándome la ropa? ¿Todos los días? ¡No, gracias!

Por otro lado, sonaba bien el dinero que la reclutadora ofrecía y no tenía nada más en el horizonte. A final de cuentas, tomé su tarjeta. Me dijo que tendría audiciones en dos semanas y me dio una dirección. Le dije que allí estaría. En los siguientes días, recordé a esas mujeres ebrias corriendo al escenario y tirando de mis pantalones. ¡Debía haber otra manera de ganar dinero de buena manera!

## « En la vida no hay un marcador. Quizá perdamos un día, pero mañana tendremos la oportunidad de jugar otra vez ».
## —Abe Cruz

La había. Justo esa semana, de modo casual, había estado platicando sobre mi dilema con un conocido. Obviamente él no tenía problemas de dinero pues conducía un auto deportivo, vestía ropa cara y joyería, y lo vi gastar mucho efectivo. Cuando le conté sobre la oferta de Las Vegas y mi reticencia para entrar al negocio de estriptis, se rio.

—¿Estás loco? Si necesitas dinero, no tienes que ser un stripper. Conozco una forma en que puedes ganar el dinero de dos o tres meses en dos o tres días.

Se oía mejor que lo que la reclutadora había ofrecido. Me interesé, pero también me mostré escéptico.

—¿De qué hablas? ¿Qué tipo de trabajo es ese?

—Escucha, tengo un socio que necesita un chofer —me explicó—. Nada de tiempo completo. Solo conducir un auto de vez en cuando a otros estados y de regreso. Y pagarán diez mil por viaje completado. Puedes ganar más, si te muestras confiable.

No era estúpido. Nadie le pagaba a un conductor tanto dinero por algo legal. Pero fingí inocencia.

—¿Qué diablos estaría conduciendo? ¿A la realeza?

Me miró sin elaborar. De pronto, sentí que estaba frente a don Corleone en el *Padrino.* Luego se encogió de hombros.

—Depende de ti. El trabajo está disponible si te interesa.

El centro nocturno no sonaba tan mal después de todo. Por lo menos era legal. Pero como no quería que mi conocido se enfadara si rechazaba su oferta, dije:—Suena genial, pero aún no decido sobre Las Vegas. Déjame pensarlo y te contacto.

Esa noche le llamé a la reclutadora. Se emocionó al escucharme.

—Tengo trabajo para ti este fin de semana si vienes a las audiciones. Dos noches, mil quinientos cada una.

Conduje a Las Vegas en un pequeño Mazda convertible que pedí prestado. Cuando llegué al distrito de entretenimiento, podía ver los carteles anunciando bailes privados y strippers masculinos. Mi estómago comenzó a comprimirse al pensar en mi foto en uno de esos carteles. ¿Y si mi mamá los veía? ¿O si algún conocido le contaba que su hijo estaba en ellos?

Había estado en muchas discotecas y centros nocturnos, pero nunca en uno de strippers. La diferencia resultó aparente tan pronto como entré. Aunque faltaban horas para que abrieran, los chicos y las chicas practicaban sus bailes en tangas.

Me dirigí a donde la reclutadora organizaba las audiciones. Me vio llegar.

—Te toca en quince minutos.

Regresé cerca del escenario. Mi estómago ardía y mi corazón galopaba. No había prestado mucha atención a los valores y a las enseñanzas que aprendí de mi mamá o de los maestros en la escuela católica. Ciertamente, no había vivido como un chico de iglesia, pero subirme al escenario era cruzar una línea que no me traía paz.

Una vez más, vino a mí el recuerdo de esas mujeres borrachas y locas tirando de mis pantalones; luciendo sudorosas, despeinadas y con el maquillaje corrido sobre sus rostros. Yo era Abe Cruz, un atleta estrella, hombre de negocios, jugador, no un pedazo de carne para ser manoseado ¡sin permiso!

—Cruz, ¡tu turno!

De repente supe que no podía hacerlo. Salí del club casi corriendo. Me subí al Mazda y apreté el acelerador. Sentí que había escapado por un pelo de un horrible destino. Para cuando dejé la ciudad, ya no me sentía tan bien. Mi cuenta de banco seguía sobregirada y necesitaba desesperadamente los tres mil que me habían ofrecido en un fin de semana. Estaba donde al principio. De hecho, estaba peor pues había gastado gasolina para ir y venir. ¿Ahora qué?

En mi tristeza, ni siquiera encendí el radio de regreso a Los Ángeles. En mi mente, escuchaba la voz de mi conocido. *Conozco una forma... el trabajo está disponible... conozco una forma.*

Casi llegaba a casa cuando finalmente tomé el teléfono y apreté un botón. Un momento después, mi conocido respondió.

—Hola, soy Abe Cruz. He estado pensando en tu oferta de trabajo. ¿Cuándo podemos hablar?

# CAPÍTULO QUINCE
## VOLANDO ALTO

AL DÍA SIGUIENTE, ME ENCONTRÉ CON MI conocido. Primero, me felicitó por tomar una decisión inteligente.

—Conducirás hasta la costa este y de regreso. Ganarás no menos de diez mil dólares por viaje. Con el tiempo, un poco más.

Era un retroceso para mis días en la empresa de multi-niveles en que me prometían diez mil a la semana. Pero esta vez no estaba bajo la ilusión que haría algo legal. Traté de mantener mi voz casual: —Oye, no se trata de cuerpos muertos, ¿o sí?

Con una gran sonrisa, actuó como si yo hubiera bromeado.

—¡Has estado viendo muchas películas! Nada de eso. Solo estarás repartiendo unos cuantos paquetes.

Sabía que estaba tentando mi suerte, pero no pude evitar preguntar: — ¿Qué tipo de paquetes?

Se me quedó mirando como la primera vez que me ofreció empleo. Luego dijo: —Has consumido coca, ¿cierto?

—¿Quieres decir cocaína? —exclamé. ¿Cómo podía pensar eso? — Jamás he probado las drogas.

—Bien. Por eso eres perfecto para este trabajo. Te ves como un chico universitario decente, lo suficientemente blanco para pasar desapercibido en donde sea. Todo lo que tienes que hacer es conducir un auto a cierta dirección, esperar ahí unos cuantos días y luego volver. Eso es todo. ¿Quieres el trabajo?

No contestó mi pregunta sobre el tipo de paquetes. No necesitaba hacerlo. Había visto las películas. Conocía el código. Si no lo decía en todas sus letras, podía pretender que no lo sabía y engañarme a mí mismo y a todos los demás.

Asentí, aunque tenía miedo. A excepción de esos episodios de robo en las tiendas una década atrás, no había tenido problemas con la ley y sabía que estaba cruzando una delgada línea. Pero también estaba desesperado. Me dije que solo lo haría para arreglar mi auto y ayudar a mi mamá para pagar sus facturas, y para tener suficiente reserva en efectivo y cubrir mis gastos. Podía cruzar la línea hasta lograrlo y luego retirarme. No era gran cosa, ¿verdad?

—Sí, quiero el trabajo. ¡*Necesito* el trabajo!

—Bien. Te contactaré cuando te necesite. —Ya no pretendía representar a alguien más—. Prepárate para irte por lo menos tres o cuatro días.

La siguiente semana, trabajé en el gimnasio y en la oficina de bienes raíces mientras esperaba ansiosamente la llamada. Finalmente, la recibí.

—Bien, Abe, te toca. Encuéntrame a las cinco en…

Mencionó un lugar popular de hamburguesas. Cuando llegué, estaba allí con una hermosa chica hispana, no mayor que yo. Ella de inmediato tomó la palabra: —Bueno, Abe, ¿qué te hizo cambiar de opinión para trabajar con nosotros?

Pensé que estaban analizando que no estuviera con la policía, así que les di detalles de mi situación financiera, los problemas económicos de mi mamá y cómo quería ayudarle y ser un buen hijo. También les hablé sobre la chica que rompió mi corazón y cuánto quería mostrarle que no era un perdedor. Y, por supuesto, confesé cuán desesperado estaba por dinero *ahora*.

Supongo que creyeron mi historia porque la chica asintió con aprobación. Con un ligero acento de spanglish me dijo: —Yo te puedo ayudar con esas cosas. Mejoraré tu vida. Puedo darte el futuro que jamás has soñado.

Eso mismo me había dicho Oscar en los años anteriores. Pero había tenido un futuro diferente en mente. Tristemente, ya no me importaba. Escuché mientras ella decía: —Pero primero, necesito que hagas ciertas cosas para mí. Esto no es un juego. Es un negocio serio. Mucho dinero. ¿Comprendes?

Cuando asentí, el conocido que me ofreció el trabajo interrumpió: —Sales mañana. Veme aquí a las seis de la mañana. Te daré más instrucciones entonces. ¿Alguna pregunta?

Cuando sacudí la cabeza, los otros dos se pusieron de pie. Los miré marcharse asombrado de lo sencillo que había sido. Ya no estaba tan ansioso o nervioso, sino dispuesto a empezar. Tal vez ayudaba que una hermosa chica me dijera que estaba de mi parte, como si yo fuera James Bond, o más bien Al Capone. Esa noche me fui a la cama y dormí profundamente y sin nervios. Incluso soñé con la emoción de un viaje a campo traviesa.

## « Necesitas motivación personal para salir adelante y ser parte de la solución ».
### —Abe Cruz

Quizá te preguntes cómo me animé a repartir lo que parecía droga cuando era tan sensible sobre el estriptis. Por una parte, no sabía mucho de drogas salvo lo que había visto y oído en las películas y las letras de las canciones, donde todo lucía bien, aún si era técnicamente ilegal. Pero la verdad es que mi elección no tenía nada que ver con la moralidad. Se trataba de mi propia imagen. Ponerme a la vista como stripper y salir en un póster con poca ropa frente a la gente que trataba de impresionar, no era para mí, sin importar lo bien pagado.

En contraste estaba mi nuevo jefe, quien siempre proyectó la imagen de un hombre de negocios rico y exitoso. *Esa* era la imagen que ansiaba desde mi primer seminario de negocios. Y si un breve periodo de discretamente entregar paquetes, que podía fingir no saber su contenido, me llevaría ahí, entonces lo haría. No era como asesinar o robar o lastimar a otro. Sabía que Oscar estaría decepcionado de mí y no tenía ilusiones reales que DIOS lo aprobaría. Pero ya había dejado de preocuparme por lo que Oscar o lo que DIOS pensaran. En pocas palabras, supe que había elegido algo malo, pero ya no me importaba.

Cuando me presenté al día siguiente en el estacionamiento del lugar de hamburguesas, mi nuevo jefe ya me esperaba en el auto. Para mi mala suerte, su hermosa acompañante no estaba con él. Me hizo una seña para que me subiera con él, me dio unas llaves y señaló un Nissan deportivo plateado 350Z, a unos pasos de ahí.

—Allí está tu auto. Toma la I-10 luego la I-15 rumbo a Vegas. No excedas la velocidad. No hay prisa. Lo último que queremos es que te detengan los policías. Unas horas más adelante, te llamaré con más indicaciones.

Luego me dio un teléfono prepago.

—Usa solo esto. Deja tu propio teléfono en casa o quítale la batería. Nada de llamadas salientes a menos que lo indique. Aquí tienes para la gasolina, la comida y el hotel.

Me dio seiscientos dólares en efectivo, luego me dio una tarjeta de negocios con el nombre y número de un abogado de Beverly Hills.

—Si te detienen, mantente tranquilo. Recuerda, eres solo un chico universitario, sin antecedentes penales, ocupado en tus propios asuntos. Pero si tienes problemas, cierra la boca y llama a este número en cuanto puedas. Eso es todo. No digas nada a la policía.

Llevándome al 350Z, puso su mano sobre mi hombro.

—Relájate, Abe. Todo estará bien. Es un viaje bonito y corto, y cuando regreses, diez mil dólares te estarán esperando.

Es difícil describir cómo me sentí al subirme al Nissan. Asustado, sí. Nervioso, sí. Pero también contento. Emocionado. Confiado. Como lo prometió esa hermosa latina, la solución a mis problemas me esperaba al regreso de este viaje. Un gran nuevo futuro.

Ya que la costa este quedaba a treinta horas en auto, traje una dotación de bebidas energizantes así como música de mis artistas preferidos de rap. Las canciones hablaban de una vida rodeada de drogas, así que pensé que me educaría en este nuevo juego en el que me había involucrado. Que *pensara* en esto como un juego muestra cuán inmaduro y estúpido era en lugar del jugador sofisticado que me consideraba a los veintitrés años.

No bien me acomodé en el asiento suave y cómodo de piel cuando vi que tenía un problema. El 350Z Nissan deportivo tenía una palanca de velocidades y yo nunca había conducido un auto de transmisión manual.

# Foto de la infancia con my mamá

## Con mi mamá, mi hermana Marta y mi hermano David

**David (a la derecha) y yo con nuestro hermano mayor Ken Mendoza y su esposa Rose**

**Equipo de Futbol Junior de las
Panteras de Pasadena**

Con la familia de Oscar Cepeida: (En la fila
superior de izquierda a derecha) My prima
Olivia, Oscar y su esposa Ofelia, David, yo, y
mi primo Orlando. (En la fila inferior de
izquierda a derecha) Mis primos
Amanda, Oliver y Omar

La familia Corona, una familia increíble,
Hermosa y amorosa, una enorme
bendición para mi infancia y mis
años de secundaria. De derecha
a izquierda están Cindy, Deloris
Erin, Phil Senior Jeff y Phil Junior.

Jeff Corona fue mi mejor amigo
en la secundaria.

Yo estoy en el extremo
derecho, mi mamá está junto a mí y my
hermano David al lado de mi mamá.

**Baile de graduación de la preparatoria
St. Paul Año 2000**

**En acción en la cancha (#22) jugando Baloncesto para St. Paul**

# SPORTS

Thursday, March 13, 1997

## St. Paul at a Crossroads

### Swordsmen get a close-up look at Baron Davis

**By Robert Morales**
STAFF WRITER

Baron Davis is the player most asked about when discussing the Crossroads School boys basketball team.

Davis, a heavily recruited 6-foot-2 senior guard, averaged 31.2 points and 7.7 rebounds during the regular season.

"He is a very good player. Actually, they are a very good team," St. Paul coach Randy Castillo said.

Davis and the Roadrunners will play host to St. Paul at 7:30 tonight in a CIF Southern Regional Division IV basketball semifinal at Loyola Marymount University.

Crossroads (28-0) is the division's top

seed.

Tonight's winner will play for the Southern Regional championship Saturday at Cal State Fullerton. The winner there will play the Northern Regional champion for the state title March 22 at Anaheim Arena.

Castillo and his players are eagerly awaiting the opportunity to play against one of Southern California's top collegiate recruits. Davis is being recruited by UCLA, among other high (prospected) NCAA Division I schools.

"They have seen Davis play and they have heard of him," Castillo said of his players. "They are just excited to be playing Crossroads and to play against this kid. And, they get an opportunity to play one more game.

"But we do have a tough task ahead

Photo by M. LEAFDALE HICE
**ST. PAUL'S** Abraham Cruz and the Swordsmen play Crossroads tonight.

of us."

Davis helped Crossroads to a victory over Santa Ana Calvary Chapel in the Southern Section Division IVA title game last Friday at UC Irvine. The Roadrunners defeated Coronado, 81-61, Tuesday in a first-round state tournament game.

The Swordsmen (12-13) defeated Twentynine Palms to win the Southern Section Division IVAA title last Friday. They defeated Corcoran of the Central Section, 88-67, Tuesday in a first-round state tournament game.

Abraham Cruz, St. Paul's freshman point guard, will defend Davis at least some of the time, Castillo said. Cruz has come up with numerous steals during

Cruz and his teammates watched Davis play Friday because Crossroads' game against Calvary Chapel preceded St. Paul's with Twentynine Palms.

"I saw him before our game," Cruz said. "He's going to get what he's going to get. So we're going to try and stop his teammates. We want to make him do it all.

"If we stop his teammates, we have a good chance of winning the game."

Castillo said he considered playing a 2-3 zone defense, since Calvary Chapel used it and had some success. But he said during Wednesday's practice that he probably won't do that.

"With only a day to prepare, we might have to go with what got us here," Castillo said. "And that's our man-to-man defense."

Davis isn't by himself on this Crossroads team, which has won back-to-back Southern Section titles. Cash Warren (6-1, 16.9 points per game average), the son of former UCLA star Mike Warren, will start at the other guard spot.

**#22 Secundaria
St. Paul**

**Universidad de
Wisconsin, Stout**

**Foto policial de Prisión**

**"Plan de Negocios en la Prisión" escrito sobre Cualquier cosa que tuviera**

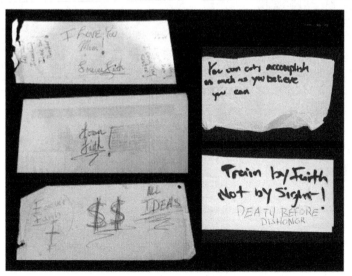

**Cada visión que Dios me dio**

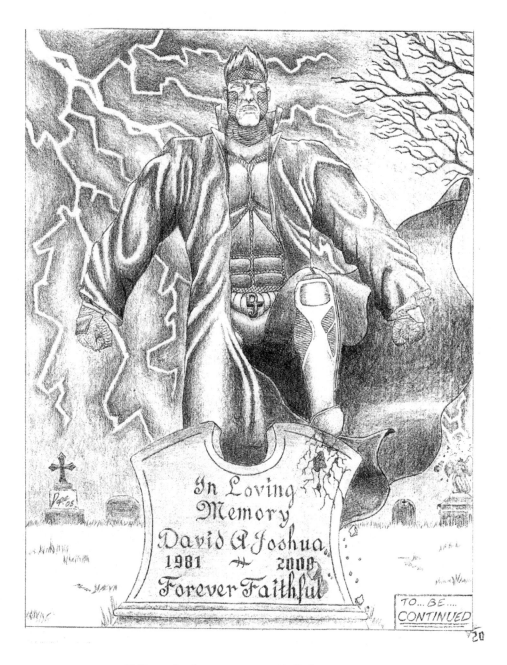

**"Justicia oscura"** Libro de
comics creado en la cárcel

NO GYM... NO WEIGHTS... NO SHOES...

# No Excuses.

My Name is Abe Cruz, and before I get into this unconventional training method let me explain why I'm in orange prison pants and sandals in the photos...

**Entrenamiento en la cárcel usando palos de chupones de poceta y bolsas de basura llenas de agua. Años más tarde, mi método apareció en esta revista de Fitness**

# Man finds inspiration while serving time in prison

**BY JASON ASHLEY WRIGHT**
World Scene Writer

To say that Abraham Cruz works out faithfully has more meaning than most realize.

"This is pretty much my life," said Cruz, 29, who spends about two hours, five days a week at Gold's Gym, 6612 S. Memorial Drive. The day we swung by there, he was lifting weights with buddy Jason Brittain.

Both were wearing Forever Faith fitness apparel, a line that Cruz developed with his brother, David Cruz, who lives in California. That was part of the reason we came by; mostly, though, it was the story that led to it — a life-altering stint in prison that strengthened his Christian faith and stoked his entrepreneurial passion, all stamped with his slogan, "If you don't believe in yourself, no one else will."

"I've never been one to judge," Abraham Cruz told us a few days before. "We all make mistakes. It's simple: No one is perfect. The question is, where's your heart at?"

Born and raised in the Los Angeles area, Cruz was close to his mom, Ana Veglovarria; half-sister, Marta Lind; and his brother, all of whom live in Newport Beach.

He led what he called a "Christian and problem-free life," Cruz said — "except for one major lapse in judgment." While in Oklahoma, Cruz was arrested on drug-related charges and incarcerated in August 2006.

"A single act of desperation shouldn't define you," said Adam Kenes when we were at the gym, asking Cruz about his incarceration. A friend, he was making a video of Cruz's workout to use for promotional material.

In prison, Cruz drew on his faith, refusing to feel sorry for himself. In fact, he even said he had a "generally good experience" there.

"I truly believe that God sent guardian angels to watch over me," he said. He spent his time in prison reflecting and praying, formulating a plan to make a fresh start whenever he got out.

"The first six months, I had to suck it up and say, 'I'm going to be fine, God is with me, I'm going to get through this,'" said Cruz, who remembers hearing grown men crying in their cells, having given up on family and themselves.

"It was a heartbreaker," he said. But it's what inspired him to figure out a way to motivate people to hang on — to maintain their faith.

He would sketch ideas on napkins, anything he could write on, Cruz said.

A life-altering stint in prison led Abraham Cruz to start a line of fitness apparel with his brother, David Cruz. The clothing line is called Forever Faith. Photos by MATT BARNARD/Tulsa World

He did that until March 2010, when he was released from prison. Still on probation, he recently celebrated his first anniversary as a free man and said he feels "great" about the positive changes that have happened in these last 12 months.

For starters, he keeps crossing paths with cool people. Like the man

**SEE FAITH D2**

# WEARING FAITH

## Forever Faith

Prices for Forever Faith's men's and women's signature line and workout items are $15-$35.

You can find Forever Faith apparel at On the Corner boutique in Broken Arrow, 224 S. Main St.

Learn more about the company. tulsaworld.com/foreverfaith

Abraham Cruz (left) lifts weights with workout partner Jason Brittain at Gold's Gym. "This is pretty much my life," says Cruz, who works out two hours a day, five days a week.

## Entrevista en primera plana en el periódico Tulsa World

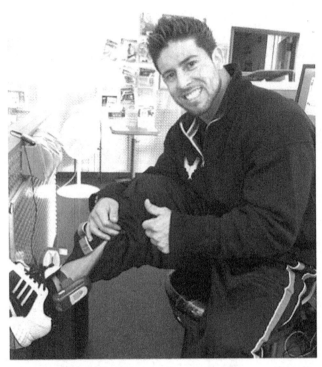

**Usando mi monitor de tobillo mientras trabajaba como entrenador en el gimnasio**

**Mi primer auto de $800 fuera de prisión**

# FROM PRISON TO CHANGING THE WORLD

ABE CRUZ HAS "FOREVER FAITH" AND IS SHARING IT WITH THE WORLD

"THEY TOLD ME I COULD ONLY WORK AT MCDONALDS OR BURGER KING."

**FIT & FIRM MAGAZINE**

**Entrevista "De la prisión a Forever Fe" en la revista Fit & Firm**

**Le siguieron muchas otras entrevistas y portadas**

# FOREVER FAITH
## TINY LISTER & ABE CRUZ
## Film Comedy Sketches with
## Director JOEL DE FRANCE

Escena de una película de comedia con Tiny
Lister, una de las varias incursiones en la
actuación

# Con mi Papá elegido, Fred Bassett, en la alfombra roja presentando Forever Fe

## Papá elegido y su esposa Janet

**Con mi querido amigo José Miranda**

**Con todos nuestros modelos en una sesión de fotos para la línea de ropa Forever Fe**

**Con mis mentores y miembros del equipo de Forever Fe: Jim Spargur, y mi papá elegido, Fred Bassett**

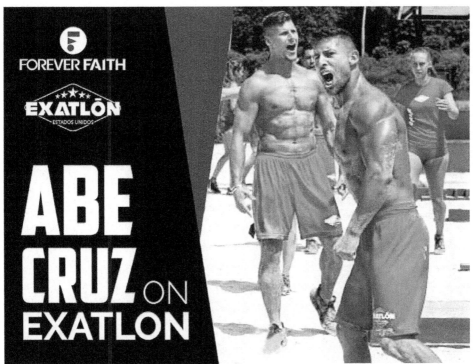

## FOREVER FAITH

## EXATLON
ESTADOS UNIDOS

# ABE CRUZ ON EXATLON

**Participando en la tercera temporada de EXATLON, el programa más vistos de Telemundo, en el Team Famosos**

**El cuatro veces Mr. Olympia y tres veces campeón del Arnold Classic, Jay Cutler, me inspiró para mantener el rumbo y seguir entrenando cuando salí de la cárcel**

**Con Evander Holyfield, el único cuatro veces
campeón mundial de boxeo de peso pesado,
en 1990, 1991, 1992 y 1993**

**Aquí con el hombre que me animó a hacer del fitness una carrera: el icónico periodista de la industria, MC y promotor del concurso, Lonnie Teper**

**Con el fundador de Cross Colours, TJ Walker,
mi mentor en el mundo de la moda**

**Con el fotógrafo de fitness Noel Daganta,
quien me dio mi primera gran oportunidad**

**Con Corey Taylor en el Festival de Cine de Oklahoma City, proyectando mi película "Mujeres despreciadas"**

**Abe con su hijo mayor Justin y su hijo menor Joshua en una sesión de fotos para Forever Fe**

**Foto de familia con mi hermosa esposa Ha y nuestros hijos Justin y Joshua de ocho meses**

**Y una foto familiar reciente**

FOREVER
FE

# CAPÍTULO DIECISEIS
# ¡ENGANCHADO!

LLAMAR A MI NUEVO JEFE EN EL TELÉFONO de prepago para decirle que renunciaba por no saber conducir el auto que me había asignado no era una opción a considerar. Me ayudó la confianza del viejo Abe. Si a los once años aprendí los movimientos complejos del fútbol americano con solo ver la televisión, ¿qué tan difícil sería aprender a conducir con cambio de velocidades?

Apretando los pedales y cambiando velocidades, avancé por el estacionamiento, prácticamente vacío debido a la hora del día. Quizá dañé un poco las velocidades, pero en unos minutos aprendí cómo funcionaba y salí a la carretera. Pronto volaba por la interestatal.

Dos horas después, el jefe me llamó.

—Muy bien. Dirígete a la ciudad de Oklahoma. Toma la salida y entra a la I-40.

Las siguientes treinta horas, mantuve el Nissan en velocidad estable, escuché música rap y conduje. Solo me detuve para ir al baño y comprar bebidas energizantes y comida, y para llenar el tanque de gasolina. Cada dos horas, el jefe me llamaba para darme nuevas indicaciones. Solo cuando crucé la frontera de Ohio me permitió saber mi destino final en Columbus. Debía salir por un centro comercial y detenerme en cierto lugar en el estacionamiento fuera de la tienda Nordstrom.

—Verás un auto rojo a tu izquierda. —Me dio el número de placas—. Las llaves están bajo el asiento del conductor. Usa ese auto, encuentra un hotel y haz lo que quieras en los días siguientes. Te llamaré cuando todo esté listo para el viaje de regreso.

Seguí las instrucciones y todo estaba exactamente como me dijeron. Después de registrarme en un hotel, pasé los siguientes días en el gimnasio, la alberca, en restaurantes finos y holgazaneando. En el tercer día, recibí una llamada. El Nissan estaba listo para el viaje de regreso.

—Sé cuidadoso y toma tu tiempo —me recordó mi jefe—. Traes mucho dinero en efectivo. No quieres llamar la atención.

Esto confirmó que había llevado un cargamento de cocaína y ahora volvía con el pago a Los Ángeles. En la tienda Nordstrom, dejé el auto rojo y me subí al Nissan. No había señal de que hubieran removido o puesto algo. Eso estaba bien. No necesitaba saber nada más, a excepción del pago que me esperaba.

## « Sonríe, habla con respeto, muestra humildad: funciona siempre ».
## —Abe Cruz

El viaje de regreso no tuvo complicaciones. Conduje sintiéndome completamente relajado, cantando mis canciones de rap preferidas. Ahora que estaba dentro del juego, la letra de las canciones tuvo otra dimensión. La palabra «blow» en inglés significaba cocaína. Una llave era un kilo de yerba. Mula. Dejar caer. Casa de seguridad. ¡Todo describía lo que yo acababa de hacer! La canción de Cassidy en inglés «I'm a Hustla» bien podría ser un manual básico para enriquecerte transportando y vendiendo narcóticos en las narices de los policías. El lenguaje era crudo, violento y explícito, pero en lugar de repelerme, me encantó verme en este emocionante y lucrativo bajo mundo. Para cuando volví a Los Ángeles, me había educado en un nuevo negocio.

Seguí las instrucciones de dejar el Nissan donde lo encontré en ese lugar de hamburguesas. Cuando no vi a nadie, me preocupé. ¿Y si me habían timado? Pero al día siguiente, mi conocido me buscó y me dio un sobre marrón con diez mil dólares en efectivo.

—Buen trabajo, Abe. Te lo ganaste. Estaré en contacto.

Y así nada más, fui diez mil dólares más rico. Me sentí más paranoico llevando el dinero a mi casa en mi mochila que conduciendo el 350Z por más de ocho mil kilómetros. Aún me sorprendía lo que había hecho en los días pasados y cuán sencillo había sido. Me sentía en un guion de película y no en una empresa ilegal. Le di a mi mamá mil dólares para ayudar con la renta y los gastos. No podía decirle que los había ganado conduciendo por el país con un cargamento de drogas, así que inventé que había ido a modelar.

Con el resto, compré un auto. Los vendedores dudaban en vender un auto a un chico de veintitrés años sin historia crediticia. Pero di un primer pago de cinco mil dólares y me dejaron ir de ahí con un BMW completamente nuevo, de serie 5, negro puro, con luces traseras, de freno y otras que iban de rojo a naranja a blanco cristalino, más ventanas polarizadas súper oscuras. ¡Un completo mafioso! Esta vez no me arriesgué y pagué por una cobertura de seguro total antes de marcharme.

Eso me dejó con menos de mil dólares. Ya no estaba nervioso de llevar drogas. Solo me impacientaba cuándo sería la siguiente entrega. Regresé a la realidad, trabajando en el gimnasio, yendo a la oficina inmobiliaria y dando mis entrenamientos privados. Pero me parecía como una forma de pasar el tiempo. Me puse feliz cuando, dos semanas después, el teléfono de prepago sonó.

—¡Hora de irse! —Mi jefe me dio instrucciones: mismo protocolo, mismo estado, nuevo destino final—. Esta vez serán quince.

¡Quince mil dólares! Esta vez no se molestó con darme constantes indicaciones. Solo me dijo la ruta a seguir y que lo llamara cuando tomara la última salida para conocer el destino final. El viaje fue tan tranquilo como el primero. Pasé un par de días en el hotel, ejercitándome y comiendo carne en el Outback Steak House, ¡la buena vida!

De regreso a casa, me sentí totalmente relajado y no pensaba en los policías. A la una de la madrugada, volaba por Indiana escuchando la canción de Lil' Wayne, *The Fireman*.

«... Tu nueva novia son viejas noticias. Tú no tienes suficiente verde y ella toda azul. Discos de Efectivo, donde los sueños se vuelven realidad. Todo es fácil, baby, déjaselo a Weezy Baby. Ponlo en la cazuela, que se evapore, que hierva. Ahora mírame derretirme, no te quemes, porque soy un bombero, fuego, b-bombero...»

Ahora su jerga se volvió mi segundo idioma, como el español. Si bien no me identificaba con su auto-destrucción de evaporarse y hervir en drogas, sí lo hacía con tener suficiente «verde» por una novia engreída y hacer lo que fuera por conseguir el dinero para que sus sueños se hicieran realidad.

La música tan fuerte y las anticipación de lo que lograría con este viaje me animaron tanto que no escuché la sirena del auto patrulla. Las luces azules y rojas comenzaron a brillar en mi espejo retrovisor. Empecé a caer en pánico mientras me detenía en la lateral.

—Tranquilo, Abe —me dije respirando hondo—. No hay problema. Lo tienes en tus manos.

Bajé el volumen de la música y abrí la ventana. El oficial venía caminando, con pistola en mano y una linterna en dirección a mi rostro.

—Licencia de conducir y seguro del auto, por favor.

Me disculpé mientras buscaba los documentos.

—Lo siento tanto, oficial. Siempre oigo música para no dormirme cuando conduzco tan noche, así que no lo escuché. Probablemente iba a alta velocidad.

—Ibas a más de ciento treinta kilómetros por hora —dijo el oficial con seriedad—. ¿Has estado bebiendo?

—Solo bebidas energizantes. —Le mostré la que recién había tomado—. Supongo que me dio tanta energía que no me fijé en la velocidad. Realmente lo siento. Solo me quedan unos kilómetros para llegar a mi hotel.

El oficial regresó a su auto para revisar mi información, luego volvió.

—Bien, hijo, es tarde y solo te daré una advertencia. Baja la velocidad y conduce con cuidado.

—Gracias, oficial —le dije fervientemente—. ¡Y que tenga una excelente noche!

No podía creer mi buena suerte. «Sonríe, habla con respeto, muestra humildad». Funcionaba todas las veces. Pero inmediatamente puse el control de velocidades debajo del límite. Mis nervios no aguantarían otro encuentro como ese.

Cuando llegué a Los Ángeles, mi jefe me indicó que entregara el Nissan en una casa y no en el lugar de hamburguesas. Siguiendo sus instrucciones, conduje a un garaje abierto. Encontré a mi jefe cuando la puerta se cerró detrás de mí.

—¿Cómo estuvo el viaje? —preguntó mientras me bajaba del vehículo.

—Todo bien. Aunque me detuvieron, pero el policía me dejó ir.

Le expliqué lo que había pasado, un poco preocupado que este fuera el final de mi carrera.

Pero tomó las noticias con más tranquilidad de lo que esperaba.

—Estas cosas suceden. Si estás aquí, quiere decir que lo manejaste bien. Buen trabajo. Ahora siéntate y relájate.

Encontré un banquito. Para mi sorpresa, empezó a deshacer el 350Z como si fuera un Transformer. Había compartimentos secretos en todos lados, en el maletero, en los asientos, en las puertas. Finalmente se enderezó: —Bien, aquí está todo. Quinientos mil en efectivo.

Me quedé mudo. Jamás había visto tanto dinero en mi vida, y para decir verdad no estaba muy feliz de verlo ahora, pues eso significaba que de algún modo me había ganado su confianza. Si estos tipos se sentían cómodos para mostrarme sus secretos, quizá me pedirían hacer más cosas y no tenía interés en subir en el rango del juego de las drogas. Solo quería hacer dinero rápido y marcharme.

De cualquier modo, llegué a los veinticinco mil dólares en un par de semanas y no quería renunciar aún. Tenía una agenda en mi mente. Pagar el auto. Dar un enganche para un condominio y salirme de la casa de mi mamá. Pagar los recibos más caros, suyos y míos. Encontrar un negocio lucrativo que mantuviera mi estilo de vida de modo legítimo. Luego me preocuparía de cómo salirme de todo esto.

Dándome un manojo de billetes, mi jefe me envió una mirada dura como si supiera lo que estaba pensando.

—Así que, ¿cuándo dejarás todo esto atrás?

Si decía: «ahora mismo», dudo haber salido del garaje vivo. Pero ese pensamiento no cruzó mi mente. Me gustaba el sabor de esta emocionante vida y no estaba dispuesto a abandonarla.

—Después, cuando tenga suficiente dinero.

—Quédate conmigo y eso será más pronto de lo que crees —me aseguró—. Hazlo bien y te pondré a cargo de mayores corridas. Esas ascienden a sesenta por viaje.

Mirando atrás, estoy seguro que mi jefe sabía exactamente qué estaba pasando y no era la primera vez que lanzaba la cuerda para pescar a un chico. Me tenía mordiendo la carnada y me hundiría con él hasta que estuviera tan profundo que no hubiera modo de salir. Y no solo me tenía atrapado, sino bien enganchado. No solo por el dinero y la adrenalina de andar en la cuerda floja y salirme con la mía. Estaba atado a todo el estilo de vida y no estaba seguro de querer librarme.

# CAPÍTULO DIECISIETE
# FUERA DE CONTROL

MIS BUENAS INTENCIONES DE AHORRAR dinero y mudarme a mi propio departamento desaparecieron casi de inmediato. El dinero otra vez se deslizaba entre mis dedos tan rápido como lo ganaba. ¿Pagar el auto o dar el enganche para una vivienda? ¡Olvídalo! Todos necesitamos un Rolex, ¿cierto? Debía mejorar mi ropa a marcas con nombres italianos. Además estaba la joyería y las gafas oscuras de diseñadores conocidos. No solo un par, sino uno diferente para cada día de la semana.

Tristemente, la obsesión con la chica que rompió mi corazón acabó con todo mi dinero. Iba a Las Vegas y gastaba entre cinco mil y diez mil dólares en un fin de semana; o varios miles de dólares en una noche salvaje en la Mansión Playboy. Siempre estaba con un grupo de hermosas mujeres alrededor. De algún modo, abrir una botella de champán las hacía correr hacia mí.

Además, encontraba alguna razón para quitarme la camisa en donde estuviera. Sabía que me veía bien. Y rico. Y exitoso. Qué mal que mi ex novia no estuviera allí para ver lo que se había perdido. Esperaba que me viera en los medios sociales o que algún amigo se lo contara.

Cada dos o tres semanas, recibía otra llamada. Ya no temía que la ley me capturara, solo me preocupaba que pasara mucho tiempo entre pagos. Estaba ganando unos veinte mil por viaje. Ocasionalmente me detuvieron y terminé con un par de infracciones por exceso de velocidad, pero ya no me saltaba el corazón cada vez que oía una sirena. Hacía mi número de chico universitario respetuoso y se la creían.

Mi único susto grande fue cuando me detuvieron fuera de la ciudad de Oklahoma. El oficial de carreteras no se tragó mi actuación. Examinó mi licencia de California, luego exigió con su fuerte acento sureño: —¿Qué haces aquí, hijo?

Ya que estaba saliendo de la I-44, del campus de la universidad estatal, inventé el cuento de haber visitado a mi novia e ir de regreso a mis clases en Los Ángeles. Echó un vistazo a mi camiseta, mis pantalones cortos, mi aspecto de deportista y sonrisa respetuosa, y no parpadeó cuando me dijo que continuara mi camino y tuviera un viaje seguro.

Para entonces había renunciado a mis otros trabajos, aunque continuaba cerca de la oficina de bienes raíces. Y como me importaba mucho verme bien, iba al gimnasio y continué con el Taekwondo. De hecho, añadí un nuevo elemento a mi rutina: esteroides anabólicos.

Esto empezó por una lesión. Me dijeron que los esteroides ayudarían que mi cuerpo sanara más rápido, así que compré unos de alguien que vendía en un club nocturno. Funcionaron y me gustó lo que le hacían a mi masa muscular. Sabía que los esteroides podían tener efectos secundarios y que no era estrictamente legal tomarlos sin receta. Pero oí que muchos atletas profesionales y estrellas del culturismo ganaban músculo así. ¿Por qué yo no?

Muy pronto gané veinte por ciento de masa muscular adicional y estaba en el mejor momento de mi vida. Uno de los efectos secundarios de los esteroides fue el regreso de mi acné. Pero ahora podía comprar tratamientos como Benzozyl y Accutane para mantenerlo bajo control.

Mirando hacia atrás, estaba fuera de control, aunque no lo hubiera admitido entonces. No era violento, ni descuidado, ni un patán. Ayudaba a mi mamá a pagar la renta y las facturas. A mis ojos, era un sofisticado don Juan que estaba a la moda, con dinero en el bolsillo y que se la pasaba bien. Simplemente, ya no creía en las reglas. O pensaba que no aplicaban a mí.

Incluso tenía una hebilla de cinturón que compré por quinientos dólares que decía: «Hustla de nacimiento», o alguien que hace dinero fácil.

Pierdes la noción del tiempo con ese estilo de vida. Antes de darme cuenta, habían pasado dieciocho meses. Todavía me faltaba más dinero para renunciar a esta vida. En parte porque gastaba mucho. Pero los grandes pagos aún no llegaban. Ahora era yo quien presionaba a mi jefe para una tarea mayor —sin importar lo que esto implicara— porque quería más dinero. Pero por lo pronto seguía en la misma ruta de California a Ohio.

Ellos, en definitiva, confiaban más en mí. Ya no perdían el tiempo en hacerme cambiar de autos en el estacionamiento, sino que me dejaban llevar el 350Z a una casa con reja o un condominio lujoso. En un viaje, dejaron que me quedara en el garaje mientras abrían los compartimentos secretos y sacaban los ladrillos blancos de un kilo, envueltos en film transparente y cinta adhesiva. No cruzó por mi mente que este tipo de vida pudiera traer algún peligro.

## «Cuando lo único que ves son las posibilidades, no reconoces los posibles peligros». —Abe Cruz

Después de un año, todo cambió. Había estado conduciendo más de veinticuatro horas y moría de hambre. Unos kilómetros antes de dejar mi carga en Columbus, me detuve en un lugar de waffles de 24 horas para mi combo de carne y huevos. El vecindario era bastante pobre, como el barrio donde crecí y no el mejor lugar para un lujoso auto deportivo pasada la media noche. Pero tenía demasiada hambre para que me importara. Terminé de comer, pagué y salí al Nissan. Justo cuando abría el auto, escuché pisadas detrás de mí.

Por instinto, me di la vuelta y levanté los brazos. Un hombre grande se aproximaba. La luz del restaurante resplandeció contra el enorme cuchillo que levantó para herirme. Al bajar la navaja, mi entrenamiento de Taekwondo ayudó. Esquivándolo, detuve el golpe con un brazo y con el otro sujeté el brazo en el que traía el cuchillo.

La adrenalina me dio la suficiente fuerza para literalmente dislocar el hombro de su cavidad, pues lo escuché, y lancé al hombre contra unos arbustos. No sentí remordimiento. El hombre había querido matarme y robar mi auto. Tampoco consideré llamar a la policía. En un barrio como este, ¿quién sabe cuánto tardarían? Y no deseaba explicar qué hacía allí, aún si me creían que era una víctima inocente.

Pero al regresar al Nissan, un dolor agudo dolor en mi tríceps derecho me informó que no había salido ileso. Afortunadamente, era invierno así que traía un grueso pullover de manga larga. Al salir del estacionamiento, sentí la lana más pesada y húmeda por la sangre. No podía ir a un hotel, ni tampoco a urgencias, así que llamé a mi punto de contacto y le dije lo que había pasado.

Me dijeron que fuera directamente a verlos. Al llegar, varios hombres con pistolas desfundadas salieron, mirando alrededor para ver que no me hubieran seguido. Una vez que verificaron que mi lesión era real, me dieron unas cuantas cosas de primeros auxilios para que me atendiera yo mismo. Resultó ser un corte de casi diez centímetros. No era profundo y pude detener el sangrado. Me dejaron quedarme allí la noche en lugar de mandarme a un hotel. Por una puerta abierta, vi los fajos de billetes remplazar mi cargamento. Mis anfitriones dejaron claro que no me acercara en absoluto.

Me pareció bien. Por primera vez no me sentía contento con la entrega. Mi brazo dolía tanto que no podía dormir y cuando cerraba mis ojos, recordaba el cuchillo viniendo hacia mi pecho. Si hubiera escuchado al hombre unos segundos después o hubiera reaccionado más lentamente, ¡estaría muerto!

¿Y por qué me había atacado? ¿Era un vagabundo sin hogar o un adicto que había visto una ganancia fácil? ¿Me había elegido porque sabía lo que traía en el auto? No, eso era imposible. Pero no podía deshacerme de ese horrible sentimiento de adrenalina y terror al luchar por mi vida.

La siguiente mañana cuando me marché, mi anfitrión me dijo que debía conseguirme un arma o un cuchillo de combate para futuros viajes. Eso me hizo sentir aún más mal. La vida en los clubes, los viajes por el país y el dinero fácil se habían sentido como un juego de video. Y como en uno, tomé por sentado que era invencible. ¿Quería estar en un negocio donde debía cargar un arma para garantizar mi seguridad?

De regreso a Los Ángeles, ya no estaba relajado, sino solo mirando a mis espaldas. Por fortuna, ningún policía me detuvo, ya que no hubiera podido pasar por un chico universitario sin problemas. Mi brazo dolía mucho y por primera vez en meses, pensé en dejar el trabajo. Pero necesitaba un viaje más antes de renunciar. De otro modo, estaría como cuando empecé, de veinticinco años y en la bancarrota, sin nada en el horizonte.

Le pedí a mi jefe que me ascendiera. Mi humor se aligeró y olvidé mis preocupaciones de seguridad cuando respondió: —No hay nada disponible por ahora. Pero, claro, dale al Nissan unos viajes más y la siguiente apertura es tuya. Con sesenta mil para empezar.

—Estaré listo —le dije—. Solo dime cuándo.

Pero, en realidad, el Nissan tenía solo un viaje más. Y yo también.

# CAPÍTULO DIECIOCHO
## ARRESTADO

LA SIGUIENTE MISIÓN VINO EN MENOS de una semana. El viaje fue tan tranquilo que olvidé el miedo al llegar a mi destino, sobre todo porque me habían prometido treinta y cinco mil dólares. Como siempre, no me comunicaron la parada final con anticipación, pero rumbo a Columbus, me encontré con un sedán amarillo. Lo seguí hacia una casa lujosa de dos pisos con un garaje para dos autos. Había otros autos aparcados cerca, pero yo me dirigí a la privacidad del garaje.

Mi cruenta experiencia del último viaje hizo que me ganara la confianza de mis anfitriones pues no pusieron ninguna restricción a mis movimientos. Me dirigí al cuarto del dinero, donde fajos de billetes de uno a cien dólares cubrían las meses. En el siguiente cuarto, descargaban los ladrillos blancos de mi Nissan.

Mi vida en los centros nocturnos me había hecho inmune a las mujeres hermosas con poca ropa. Aún así, mis ojos se desviaron a la media docena de chicas con ropa interior que envolvían los fajos de dinero y apilaban los ladrillos de cocaína. La misma cantidad de chicos traían armas y caminaban alrededor vigilando todo lo que ocurría. Su paso tranquilo me recordó que esta operación había funcionado sin problemas más tiempo del que yo había conducido para ellos. No debía ponerme nervioso.

Dormí bien esa noche en una de las recámaras de la planta alta, y soñé con los treinta y cinco mil que me habían prometido. A mitad de camino de regreso a Los Ángeles, planeaba cómo gastarlos. Aún un poco nervioso, me aseguré de ir debajo del límite de velocidad, sobre todo en la curva rumbo a la I-40 que me llevaría a California.

Por esa razón, me sorprendió la aparición de esos dos autos patrulla de Oklahoma que salieron de los arbustos. Aún así, confiaba en que podría salirme de esa situación como lo había hecho antes, hasta que la DEA apareció en sus camionetas negras con esos perros que olían droga. ¡Allí me di cuenta que me habían atrapado!

Ya te conté sobre el arresto, pero aún esperaba no estar en graves problemas. Después de todo, no tenía antecedentes desde que mi mamá se aseguró que la tienda donde robé las muñequeras no presentara cargos, y no tenía drogas en el auto. Transportar reservas de efectivo no era ilegal, ¿o sí?

No sé en qué momento me empecé a dar cuenta que esta no era una detención por infringir alguna regla de tránsito o un chequeo minucioso. Estos tipos sabían exactamente quién era y qué hacía allí. Esposado arriba de la colina, cerca del oficial, oí que alguien gritaba: —¡Encontramos algo! ¡Tenemos algo!

Supuse que habían encontrado el dinero. Unos minutos después, el patrullero me escoltó abajo y a la parte trasera de su coche. Un agente de la DEA se trepó en el asiento del conductor de mi auto. El auto patrulla arrancó, seguido del Nissan. Pensé que me llevarían a un precinto de la policía. Más bien, nos dirigimos a un lugar cercano.

Nos encontrábamos en un área industrial, con poco movimiento debido a las altas horas de la noche. Un momento después, entramos por una enorme puerta al área de carga y descarga de una bodega. El Nissan avanzó detrás de nosotros, seguido por las camionetas negras con los agentes, los perros y sus entrenadores.

Dos oficiales de policía me sacaron de la patrulla y me llevaron a una esquina cerca de una tubería que subía por la pared. Quitándome las esposas, rodearon mis brazos alrededor de la tubería y volvieron a esposarme. Me encadenaron al tubo de agua y me dejaron ahí. Unos minutos después, oí el fuerte zumbido de una motosierra y el chillante sonido de un tipo de taladro.

Estaban destruyendo mi auto, pero estaba demasiado cansado para que me importara. Había conducido por más de doce horas y no podía hacer nada. Resbalándome contra el suelo de concreto, recargué la cabeza contra la tubería y cerré los ojos.

Ignoro cuánto tiempo pasó, pero no debieron ser más de un par de horas porque aún estaba oscuro cuando una mano sobre mi hombro me despertó. Un agente de la DEA estaba allí.

—Encontramos el dinero y la droga, chico. ¡Estás atrapado! Irás a la cárcel, así que si sabes lo que es bueno para ti, empieza a hablar.

Cuando me llevaron al centro de la bodega puede ver el 350Z en pedazos, con puertas, asientos, llantas y el maletero desparramados sobre el concreto. También puede ver los fajos de billetes envueltos pero nada de droga. Estaba mareado y confundido mientras el oficial me depositaba en su auto. Bien, encontraron el dinero. Eso lo esperaba. ¿Pero cómo que habían encontrado droga?

Un ladrillo de un kilo de cocaína valía mucho dinero. No había modo de que los hombres en la casa de reserva olvidaran sacar uno de ellos. ¿Y si los agentes o incluso los policías habían plantado la droga para darme una sentencia mayor por tráfico de cocaína? Había visto demasiadas historias en la televisión y las películas para considerarlo como una posibilidad.

Jamás supe la verdad. Con el tiempo descubrí que la casa donde me había quedado por la noche había estado bajo vigilancia durante cierto tiempo y le hicieron una redada poco después que me marché en el auto. ¿Tenía la DEA un informante o un agente encubierto que se aseguró que un kilo de cocaína permaneciera oculto en uno de los compartimentos del auto? ¿O fue producto del descuido? ¿O mintieron los agentes para que yo confesara?

Realmente no importaba. Me tenían en el video de vigilancia llegando y marchándome de la casa. Quizá me habían seguido desde Ohio. O me rastrearon por un tiempo así como habían vigilado la casa. Los coches de policía, la presencia de la DEA e incluso la bodega apuntaban a que esta había sido una emboscada bien planeada.

Por otra parte, estaba demasiado cansado y conmocionado para luchar. El patrullero me llevó al recinto policial, donde me encadenaron a una mesa para ser interrogado por un par de agentes de la DEA. Me interrogaron por varias horas, pero repetí la misma historia que me instruyeron para dar si alguna vez me encontraba en dicha situación. Yo solo era un chofer que había sido contratado para conducir un vehículo de un lugar a otro. No sabía nada sobre drogas o falsos compartimentos. No sabía nada sobre las personas que me contrataron, mucho menos sobre las personas donde dejé el auto. Solo cumplía con mi trabajo.

Afortunadamente, realmente no sabía más de lo que admití. Pero sabía que mis jefes no me perdonarían y que pondría a mi familia en riesgo si sospechaban traición. Era un poco tarde para pensar en mi familia ahora, pero estaba decidido a que mi estupidez no afectara a mi mamá y a mi hermano. Los agentes finalmente dejaron de insistir, quizá porque ya habían asaltado la casa, como después supe, y tenían en custodia a muchos otros que podían darles más información.

Para cuando fui detenido y procesado, el sol empezaba a salir por la ventana de la cárcel del condado. De acuerdo al papeleo, la hora oficial en que pasé a ser un prisionero del estado de Oklahoma fue las 7:35 de la mañana del 24 de julio de 2006, un mes después de cumplir veinticinco años. No sé qué vio en mí el oficial a cargo de procesarme. Todavía traía ropa casual: pantalones cortos, camiseta y sandalias, y supongo me veía joven, exhausto y asustado, con la cabeza agachada por la vergüenza.

Recogió mis pertenencias para guardarlas, luego tomó mi licencia de conducir de California y sacudió la cabeza, con una expresión exasperada y compasiva.

—¿Sabes, hijo? Yo soy de Los Ángeles, del condado de Orange. Tengo un hijo de tu edad. ¿Qué estabas pensando al involúcrate en algo así? Me siento decepcionado. ¡Eres mejor que esto!

Este hombre ni siquiera me conocía, pero me habló como un padre preocupado. No como mi padre que me abandonó, sino como un padre amoroso como Oscar o Ken Mendoza. Y supe que tenía razón. Me sentí enfermo de la decepción.

# « Agradezco que nuestro Padre DIOS no nos juzga de la misma manera como nosotros juzgamos a los demás ».
## —Abe Cruz

Y su preocupación no se quedó allí. Después de ponerme el traje anaranjado de la cárcel del condado, me llevó a un área de espera. Las enormes jaulas tenían entre quince y veinte prisioneros, todos mayores y con apariencia de convictos experimentados, muchos ebrios o drogados. Con mi entrenamiento de Taekwondo y mi formación como atleta universitario, no era un debilucho. Pero el oficial nuevamente sacudió la cabeza con simpatía y me llevó a una celda completamente vacía.

—No necesitas más problemas, hijo. Así que vamos a mantenerte separado para evitarnos más problemas.

Al ver las miradas furiosas y los susurros de maldiciones de los otros prisioneros, supe que había recibido una bendición. La celda contaba con un teléfono para llamadas por cobrar. Lo primero que hice fue llamar al número de Beverly Hills que me dieron en caso de necesitar un abogado. ¡Me urgía uno!

No me respondieron. Debí marcar por lo menos veinticinco veces sin respuesta y comencé a frustrarme y a asustarme. ¿Por qué no respondían en un despacho de abogados? No se me ocurrió que con Oklahoma en una zona horaria distinta quizá aún no abrían.

Me di por vencido y llamé al número que no deseaba marcar, a mi hermano menor, David. Él no tenía ni idea de lo que había estado haciendo en los últimos meses. A sus ojos, era un exitoso hombre de negocios. ¿Cómo podía admitir que me habían arrestado y el por qué? En cuanto a mi mamá, no podía encararla aún.

A diferencia del abogado, David contestó de inmediato. Sabía que solo podía tratarse de algo urgente si llamaba tan temprano y por cobrar. Lo tranquilicé de inmediato.

—Hola, hermanito, estoy bien. No te preocupes. Estoy en la cárcel del condado en la ciudad de Oklahoma. Pero todo estará bien. Solo necesito que vayas por mi dinero, vengas acá y me saques de aquí.

Le di instrucciones para ir al departamento de mi mamá y buscar detrás del televisor. Allí encontraría una bolsa de papel marrón con treinta mil dólares, lo que me restaba de todos los pagos que recibí.

—Toma el efectivo y mi auto, compra un boleto de avión y trae el resto del dinero.

David no discutió, ni me culpó, ni preguntó sobre el dinero, aunque supongo estaba sorprendido.

—Tomaré el primer vuelo que encuentre.

Con eso resuelto, me acomodé en una banca para dormir. No tenía colchón, pero me habían dado una almohada y una sábana, y ya nada me detuvo. Debí dormir por casi ocho horas. Cuando desperté, me dieron un emparedado de jamón. Desde ese momento solo me dediqué a mirar la pared.

David necesitó de un par de días para volar a Oklahoma y pagar mi fianza. No olvidaré el maravilloso sentimiento cuando el guardia vino a mi celda y me dijo: —Cruz, lograste la fianza.

El mismo guardia del papeleo me devolvió mis pertenencias. David me esperaba afuera y lo abracé, agradecido que viniera a rescatarme. Parecía el final de mi calvario; volveríamos a casa y olvidaría esta pesadilla.

Por supuesto, era solo el comienzo.

# CAPÍTULO DIENCINUEVE

# DECLARADO CULPABLE

Lo PEOR FUE LLAMAR A MI MAMÁ. Cuando David había recogido el dinero, le inventó una historia sobre una chica. Pero habían pasado seis días y sabía que estaría muy preocupada. Tarde o temprano, se enteraría, así que tan pronto nos registramos en un hotel, saqué mi teléfono.

Mi mano temblaba mientras marcaba el número. Toda mi vida, mi mamá había insistido en que fuera una persona recta, temerosa de DIOS y moral. Aún cuando no entendía algunas cosas de mi vida, se había enorgullecido de mis logros como atleta y hombre de negocios. Cuando llegó el desastre, siempre me ayudó. Ahora estaba a punto de destruir la imagen de su primogénito. Quería llorar de tan solo pensar en la desilusión que le causaría. Esto era cien veces peor que robar una tienda.

Pero nada fue como pensé. En cuanto mi mamá contestó el teléfono, dijo con angustia: —Mijo, ¿qué has hecho? ¡Los de la DEA están desbaratando la casa!

En un español rápido me contó que cerca de dos docenas de agentes con armas y perros estaban en el departamento. Estaban revisando todo, aún las alacenas, en busca de drogas o dinero. No habían encontrado nada, ya que David había traído consigo mi bolsa marrón con dinero y jamás fui tan estúpido como para tocar las drogas. Pero los agentes confiscaron mi Rolex.

—Dicen que lo compraste con dinero sucio, ¡así que se lo llevaron!

Me rompió el corazón oírla llorar. De repente, una voz masculina interrumpió. Se identificó como agente de la DEA, luego me maldijo diciendo que era un hijo-bueno-para-nada, al causarle tanto dolor a mi mamá.

—¿Dónde está el dinero, pedazo de basura? ¿Dónde está la cocaína?

No respondí, ya que estaba de acuerdo con él: era un hijo terrible. El llanto de mi mamá me partió el corazón; iría de regreso a casa. Pero primero debía encontrar un abogado criminalista en la ciudad de Oklahoma que llevara mi caso. Después de investigar un poco, David y yo encontramos a alguien que tomaría el caso por un anticipo de veinticinco mil dólares.

Cuando nos vimos con el abogado, él ya había revisado mi caso y me dijo que tenía treinta días antes de comparecer en la corte. Se veía optimista.

—No tienes antecedentes penales. Y podemos argumentar falta de evidencia. Hay una posibilidad de que no vayas a la cárcel y solo estés en libertad condicional.

Mi fianza quedó en ciento veinte mil dólares y pagué doce mil. Si agregaba el pago al abogado, mis treinta mil dólares casi habían desaparecido. Nuevamente estaba en la quiebra, tal como cuando acepté el trabajo. Aunque en ese momento, no me preocupaba mucho, solo quería regresar a casa y arreglar las cosas con mi mamá.

David y yo tomamos el vuelo al aeropuerto de Hollywood-Burbank, al este de Pasadena, donde David había dejado mi auto. No pudimos encontrarlo en el estacionamiento. Buscamos en todas partes, sonando la alarma en el control, pero sin recibir señal. Un BMW completamente negro, con vidrios polarizados, no pasaría desapercibido. Se había esfumado.

Tomamos un taxi a casa. El departamento estaba un poco más arreglado. Mi mamá rompió en llanto cuando me vio, diciéndome toda clase de palabras que yo bien merecía, mientras me abrazaba y me besaba.

—M'ijo, ¿en qué estabas pensando? —preguntaba.

—Lo siento —le decía. —¡Realmente lo siento!

Una conversación más aterradora me esperaba. Mi jefe sabía lo que había sucedido pues me llamó en cuanto pisé Los Ángeles. Afortunadamente, no tuve que convencerlo de que no era mi culpa no haber entregado el cargamento.

—A veces se gana y a veces se pierde —dijo—. Corremos el riesgo de perder un auto aquí y allá. Por eso tenemos abogados. En tanto sigas mis instrucciones y mantengas la boca cerrada, todo estará bien.

Entonces comprendí que la operación era bastante grande y que yo solo era una pequeña pieza. No era alguien especial en un videojuego emocionante, atrevido y técnicamente ilegal, sino uno más de quién sabe cuántos choferes en quién sabe cuántos lugares. ¿Cuántos habrían acabado en la columna de «pérdidas»? Igual que con mi jefe en el esquema piramidal, era prescindible y útil solo si ganaba dinero para él.

Le aseguré que no había dicho nada. Él pareció creerme, tal vez porque él no estaría libre y llamándome por teléfono desde su casa si yo lo hubiera delatado. Pero añadió: —Solo recuerda que sabemos dónde vive tu familia y ¡dónde estás tú!

Yo no era tonto. Había visto demasiadas películas para interpretar lo que no había dicho. Si no los traicionaba, mi familia estaría bien. Si lo hacía, quién sabe qué podría pasarle a mi mamá o a mis hermanos. Afortunadamente, no volví a ver a ese hombre, ni a nadie más de ese capítulo de mi vida. No he sabido, hasta hoy, qué pasó con él o su operación, o si la DEA logró más arrestos. Esa puerta se cerró y no he querido abrirla desde entonces.

Era un manojo de nervios para cuando me fui a la cama esa noche. Mi mamá entró a mi habitación. No estaba enojada, solo triste.

**«DIOS nunca nos pone en una situación sin darnos la fuerza para enfrentarla ».**

**—Abe Cruz**

—¿Qué va a suceder ahora? —me preguntó.

Entre lágrimas le expliqué que debía volver a la ciudad de Oklahoma en treinta días y que no sabía los cargos o la sentencia que me darían. Me dio un abrazo y me aseguró: —M'ijo, deberás aceptar las consecuencias de tus actos. Pero no te preocupes. DIOS nunca nos pone en una situación sin darnos la fuerza para enfrentarla. Él estará contigo. Solo no pierdas la fe.

Tristemente yo me puse en aprietos y no DIOS, así que, ¿por qué ayudarme? Recordé cuando mi mamá me castigó y no fui a las semifinales por irrespetuoso. Mis errores presentes eran mucho peores y las consecuencias también. Pero cuando mi mamá puso su brazo alrededor y empezó a orar, oré con ella. Era la primera vez en años que lloraba ante DIOS, y aunque mis oraciones se centraban solo en mí y en que DIOS evitara que fuera a prisión, fue un comienzo.

Las siguientes semanas fueron bastante normales. Ninguno de mis conocidos en Los Ángeles sabían de mi arresto, salvo mi familia. Así que regresé a trabajar en el gimnasio y la oficina de bienes raíces. Incluso recibí algunas comisiones por la venta de unas propiedades que usé para pagar al abogado. Regresé a una vida social bastante normal, aunque sin fondos para la vida nocturna.

Contacté a mi abogado quien me informó que mi auto había sido confiscado bajo el acta RICO, que permitía que se incautaran las posesiones de cualquier persona acusada de un crimen de tráfico de drogas, asociación delictiva u otra forma de crimen organizado.

—No podemos pedir que te lo devuelvan —me dijo—. A menos que puedas comprobar cómo y dónde obtuviste los fondos para comprarlo. De lo contrario, considéralo perdido.

No me quebré la cabeza ya que no podía probar una fuente legítima de ingresos para pagar el auto. Así que me quedé sin auto.

Los treinta días volaron. Mi mamá fue conmigo a la ciudad de Oklahoma para la lectura de los cargos. Ilusionado por la posibilidad de tener libertad condicional, me derrumbé cuando el fiscal ofreció una sentencia de treinta años por crimen violento.

¿Treinta años? ¿A un primer ofensor? Me enteré que Oklahoma tiene las leyes más estrictas contra el tráfico de drogas en el país, e incluyen la cárcel para el 85% de los ofensores. Solo tenía veinticinco años, así que tendría cincuenta y cinco años cuando saliera de la cárcel.

*¡Se acabó mi vida!,* me dije. Por primera vez, sentí pánico. Ahora entendí porqué la DEA había elegido poner la trampa antes de cruzar la frontera de Oklahoma.

—Te quieren asustar —me dijo el abogado—. Quieren ponerte de ejemplo. Pero no tienes que aceptar esa sentencia. Es su primera oferta y yo estoy aquí para pelear por ti.

Así que, sin dinero para pagar a un buen abogado defensor, ¡estaría encerrado treinta años! Sus palabras me hicieron pensar en cuántos jóvenes con cargos menores terminan tras las rejas por no tener ahorros. Por primera vez, consideré seriamente huir. Tenía familiares en México y mis jefes tenían contactos en Latinoamérica y el Caribe. Había probado ser leal en los pasados dieciocho meses. Sabía que me ayudarían si me comprometía a trabajar para ellos.

Por un instante, me vi escalando los peldaños del éxito como soñé en mis viajes por carretera. Me vi con millones de dólares en el banco y la vida de un playboy, tal vez no en Los Ángeles, sino en la ciudad de México, Caracas, Bogotá o Buenos Aires, donde también había buena vida.

Pero el sueño duró poco. No quería ir a prisión, pero tampoco ser un fugitivo el resto de mi existencia. No quería una vida de narcotraficante incluso si esta implicaba riquezas y placer. Había cometido muchos errores. Pero no cruzaría esa línea. Por una parte, rompería totalmente el corazón de mi mamá. Después de todo lo que había hecho por mí, no podía traicionarla de ese modo. O a todos los que invirtieron en mí: Oscar, Ken, mis entrenadores y maestros.

Aún más, estaba convencido que mi vida no podía terminar así. En algún lugar debía haber un plan. Un plan para ser un mejor Abe Cruz. ALGUIEN allá afuera debía tener un plan para mi vida. Si bien no había creído lo que Oscar y mi mamá me dijeron sobre DIOS y la fe, sino en llevar a cabo mis propios planes y controlar mi vida, los tiempos de oración con mi mamá me recordaron quién estaba en control y quién era el único que podía cambiar mi vida.

Y como dijo mi mamá, eso implicaba aceptar las consecuencias de mis actos, sin importar cuáles fueran.

# CAPÍTULO VEINTE
# HAGAMOS UN TRATO

LA DECISIÓN DE NO HUIR FUE UN PUNTO decisivo para mí. Se venían más problemas y retos que cambiarían mi vida. Pero ya que huir no era una opción, mis pensamientos se centraron en cómo superar las consecuencias y qué tipo de futuro tendría.

Entonces empecé a orar. Había dejado que mi mamá orara por mí, derramando sus miedos y preocupaciones ante DIOS. Ahora empecé a orar noche y día. Por primera vez, admití a DIOS que mis malas decisiones me habían llevado a esta situación y le pedí perdón. También le pedí perdón a mi mamá y a David por ponerlos en esa situación.

Pero allí no terminó la cosa. Mi mamá, siempre dispuesta a pelear por sus hijos, llamó a varias cadenas de oración y pidió oración por mí. Pronto había guerreros de oración contactándome de todo el país para decirme que estaban orando por mí, o llamándome para orar por teléfono conmigo. Mi mamá también comenzó a asistir a una iglesia en el barrio, y yo fui con ella.

Aún estaba bastante asustado. Especialmente cuando pasaron treinta días y mi abogado me dijo que el fiscal no cedía. El caso se extendió a varios meses, lo que implicó buscar más dinero para el abogado. Además del efectivo en la bolsa de papel marrón, no tenía más y ¡todo se había ido! Mi mamá sacó todos sus ahorros para ayudarme, lo que me hizo sentir peor.

Después de varios meses, mi abogado me informó que el fiscal había acordado en recomendar veinticinco años por un crimen no violento, cuyo tiempo mínimo a servir era de 33% en lugar de 85%. Eso implicaría por lo menos ocho años, un tramo de tiempo bastante largo para un chico de veinticinco años. Una vez más la tentación de huir me tentó, pero esta vez no dejé que se quedara ahí. Le dije a DIOS, a mi mamá y a todos los que oraban por mí que aceptaría las consecuencias.

Agradezco haber tomado esa decisión porque huir no hubiera sido una opción viable. Un día mi mamá vino al gimnasio donde trabajaba. Se fue casi de inmediato. Cuando regresé a la casa esa tarde, mi mamá me dijo que me sentara. Me dijo en un susurro: —M'ijo, necesitamos hablar.

Su tono y su volumen eran tan urgentes que me espanté.

—¿Qué sucede? ¿Qué pasa?

—Nos están vigilando y siguiendo —me dijo—. ¿Recuerdas a los agentes de la DEA que vinieron a revisar la casa? Vi a dos de ellos en el gimnasio hoy, justo a tu lado. Y vi a otro seguirme. Puede haber micrófonos escondidos en nuestros teléfonos o incluso aquí. Ten cuidado, m'ijo.

No debí sorprenderme. La DEA no perdía la esperanza de que yo los conduciría a más información. En realidad, no me importaba si me seguían o escuchaban mis conversaciones porque había terminado con mi vieja vida y solo perdían su tiempo. Pero me alegra no haber tratado de huir del país pues me hubieran arrestado.

El ir y venir entre mi abogado y el fiscal duró un año. Durante este tiempo, mi única tarea era presentarme cada treinta días y mantenerme fuera de problemas; lo que hice. Cada dólar que saqué fue dinero adicional para retener al abogado. Logró darme una recomendación de sentencia de veinte años por un delito no violento pero decía que podía lograr más.

Entonces, en agosto de 2007, mi abogado llamó.

—Tengo una nueva oferta. Doce años por delito no violento, lo que implica que por buena conducta salgas en cuatro años. No creo que logremos algo mejor. ¿Quieres que lo acepte o nos vamos a juicio? Considera que si vamos a juicio y pierdes, podemos regresar a los treinta años. Aconsejo que lo aceptes.

No discutí. Por una parte, no tenía dinero para seguir peleando y sabía en mi corazón que hasta aquí había llegado. Los guerreros de oración de DIOS orando con fe pueden mover montañas, ¡como la Biblia dice! Las oraciones no eliminaron la sentencia de prisión, pero me prepararon para la nueva travesía que se avecinaba. Y cuatro años eran mucho mejor que los treinta originales. Tenía fe que serían menos.

## «Los guerreros de oración de DIOS orando con fe pueden mover montañas ».
### —Abe Cruz

Pero eso no significa que no estuviera aterrado. Mamá y David volaron conmigo a Oklahoma. Nos registramos en un hotel y pasamos mi última noche llorando juntos, orando y abrazándonos. Después que mi mamá se fuera a su cuarto y David se durmiera, me hinqué y empecé a orar, con lágrimas en las mejillas.

Curiosamente, la idea de salir del cuarto y escapar no cruzó mi mente. Me metí en este lío por mi mentalidad egoísta, descuidada y caótica. Me habían ofrecido un trato justo y tomé mi decisión. Hasta que pagara por lo que había hecho, no podría avanzar hacia una nueva vida y un buen futuro.

Aun así, pensar en la sala de juicio me aterró. Dando vueltas y mirando el techo oscuro, clamé a Dios.

*Padre celestial, ¡lo siento tanto! Es mi culpa. Por favor, ayúdame a salir de esta. Ayúdame a aferrarme a mi fe.*

Entonces llegó la mañana. Soñoliento, me «vestí para triunfar» una vez más, poniéndome un traje y una corbata para causar una buena impresión en la corte. Mamá, David y yo nos vimos con el abogado fuera de la sala de juicio. Los tres nos paramos en el pasillo sosteniendo manos mientras mi mamá oraba por mí, pidiendo a DIOS que me enseñara una lección a través de lo que iba a suceder y a cambiar este error en una gran bendición.

Entonces David me abrazó y me dijo: —Hermano, DIOS estará contigo acá dentro, así que mantente fuerte. Todo estará bien.

En este punto, estaba tranquilo, incluso sentía paz. Lo que iba a pasar, pasaría. Mi abogado puso su mano en mi hombro.

—Debemos irnos, Abe. El juez nos está esperando. —Sonreía y sonaba alegre, pero él no estaba a punto de ir a prisión. Añadió, como un entrenador enviándome a la cancha, estas palabras: —Eres un joven fuerte, Abe. Estarás bien.

Mamá y David se quedaron atrás en la sala de juicio mientras mi abogado y yo caminábamos por el pasillo para sentarnos en la mesa de la defensa. Desde ese momento, todo se me figuró en cámara lenta. Nos paramos cuando el juez, una mujer, entraba a la sala de juzgado y tomaba asiento. Miró los papeles en su mano y me sonrió.

—Señor Cruz, veo que ya no se ha metido en problemas. Así que bajaré la sentencia a diez años por delito no violento, con libertad condicional de veinticinco años. ¿Tiene algo para decir, señor Cruz?

¡Diez años! Un servicio de 33%, lo que implicaba que podía salir en tres años. Me sentí tan bendecido. Veía las oraciones contestadas. Solo pude sonreír y tartamudear: —¡Guau! ¡Muchas gracias, su señoría!

También agradecí a mi abogado por lo que había hecho. Con una sonrisa me aseguró: —Esto todavía no ha acabado. No te metas en problemas y al final del año veré si puedo hacer un repaso judicial. Si todo va bien, no tendrás que servir más de un año.

Otra vez ¡guau! No escuché «si», o «esperemos» o «veré que puedo hacer», pero «no tendrás que servir más de un año». Me sentí bendecido y emocionado.

—Entonces, usted es consignado por el estado de Oklahoma a diez años en el Departamento Correccional de Oklahoma. —El mazo del juez cayó con fuerza—. Llévenselo.

El alguacil se acercó y me puso esposas. En ese instante escuché a mi mamá llorar con angustia. Girando el rostro, la vi caer al suelo en la parte trasera de la sala, llorando desconsolada. Mi hermano la tenía en sus brazos.

Mi emoción por la sentencia reducida se evaporó. Mirar su dolor y su pena fue el peor castigo de mi experiencia, haciéndome ver, como si tuviera un cuchillo en el corazón, cuán estúpido, egoísta y arrogante había sido por traer tal angustia y dolor a la persona que había hecho por mí más que nadie.

Aún en traje y corbata, me sacaron de la sala para unirme a otros cuatro prisioneros en trajes anaranjados. Pasé junto a mi mamá y mi hermano. Luchando por componerse, mi mamá se acercó y me dijo quedamente: —M'ijo, no pierdas la fe. Dios tiene un plan y no te abandonará.

David gritó: —Mantente fuerte, hermano.

Entonces se marcharon y el guardia me dirigió a mí y a los otro prisioneros al elevador. Para entonces, la depresión ya caía sobre mí, y una vez más sentí que mi vida terminaba. Entonces el guardia, un hombre fornido y de mediana edad, se inclinó y me dijo en un susurro: —No desmayes, hijo. Todo estará bien. Dios está contigo.

Me sorprendieron las palabras del guardia. ¡Quién iba a pensar que encontraría un guardia que hablara español aquí en Oklahoma, y que aún más hablaría de DIOS con tal convicción y amabilidad! Quizá oyó las palabras de mi mamá así que supuso venía de una familia religiosa. Pero fue como si DIOS se inclinara y me hablara por medio del comentario compasivo del guardia.

De repente, ya no me sentí tan solo.

# CAPÍTULO VEINTIUNO
## EL FONDO

CUANDO SALIMOS DEL ELEVADOR, ME SORPRENDIÓ ver detrás del vidrio al mismo oficial que me había fichado un año atrás. Él también me reconoció.

—Cruz, hace tiempo que no nos vemos.

Una vez más, entregué mis pertenencias y me quité el traje y la corbata para ponerme el traje anaranjado de la prisión. Me dieron una bolsa con cepillo de dientes, jabón, pasta de dientes y otros artículos de limpieza. Luego el oficial me dijo con amabilidad: —Mira, Cruz, eres un chico grande. Puedes cuidarte allá dentro. Sé respetuoso, no te metas en discusiones o peleas, y saldrás de esta.

Agradecí su amabilidad, pero empecé a darme cuenta de mi nueva realidad mientras me llevaban a una sección abierta. Se trataba de un círculo con dos niveles y cuarenta celdas en cada piso, que daban hacia un área central con mesas para comer y socializar. Las paredes verdes y descarapeladas estaban cubiertas con insultos raciales y otro tipo de grafiti. Cada celda tenía una litera, un excusado de acero inoxidable, un lavabo y un espejo. Dos personas por celda. Pero la sobrepoblación hacía que la mayoría de las celdas tuvieran tres o cuatro prisioneros y, los que no alcanzaban cama, dormían en delgadas colchonetas sobre el piso de concreto. Entre todos compartíamos tres regaderas.

Se me figuró que estaba en un zoológico o un campo de batalla. Los grupos de prisioneros, divididos principalmente por origen étnico, se congregaban en diferentes áreas, gritando y maldiciéndose entre ellos. Los guardias los miraban con indiferencia detrás de grandes ventanales desde la oficina que vigilaba la sección entera.

Al ir entrando, muchos pares de ojos me inspeccionaron de pies a cabeza. Había continuado entrenando durante el año en que esperaba mi sentencia, así que tenía la mejor masa muscular de mi vida, medía 1,75 y pesaba ochenta y cinco kilos, así que no me preocupaba un duelo de uno a uno. Caminé hacia un grupo latino. Me miraron hasta que les dije algo en español.

—¿De dónde eres? —me preguntaron.

Cuando oyeron que era un latino de Los Ángeles, me protegieron. También parecía un típico chico de California por mis facciones caucásicas, el cabello teñido, la piel un poco bronceada y mi cuerpo atlético. Así que los prisioneros caucásicos asumieron que era uno de ellos. Y ya que había crecido en un barrio con predominancia de afro-americanos, y que jugué principalmente con equipos afro-americanos, supe cómo mezclarme con ese grupo. De hecho, no tuve problemas con ningún grupo racial mientras estuve ahí.

Me da gusto, pues pronto me enteré que la sección estaba cerrada debido a una revuelta racial de unos días atrás. Permaneció cerrada las primeras tres semanas de mi estancia ahí. Compartí celda con otros dos prisioneros, un hombre mayor quien estaba medicado con Thorazine, una medicina antidepresiva muy fuerte que lo hacía dormir casi veinte horas al día, y otro hombre pequeño, delgado y callado que no se metía con nadie.

Como ellos ocupaban la litera, dormí sobre el frío piso de concreto con solo una colchoneta debajo. Mientras descansaba, me venían recuerdos de mi pasado. Recordé los buenos tiempos, como la emoción de ganar en la cancha de fútbol americano o de baloncesto. Pero también llegaban los malos recuerdos. El derroche de dinero en centros nocturnos y casinos. El terror de ese ataque con cuchillo. La emboscada de la DEA. El dolor y la desilusión en el rostro de mi mamá.

Me repetía las palabras de mi mamá. *DIOS está contigo. No estás solo.* Pero me sentía muy deprimido. Debido a la revuelta, no se nos permitía estar en el área común. Nuestras comidas llegaban en charolas que se repartían en cada celda. El desayuno consistía en avena o pinole, el almuerzo de un emparedado de jamón, luego para la cena macarrones con queso, pasta con carne molida u otro tipo de almidones. Las porciones eran pequeñas y con mi masa muscular quemaba muchas calorías y siempre tenía hambre.

Pero no se comparaba a la sed. Los primeros tres días tuvimos agua. Luego el lavabo dejó de funcionar. Solo recibíamos líquidos con las comidas. Varias veces le dije a los guardias que no teníamos agua, pero me ignoraron. Finalmente, un día, tratando de hacer una rutina de ejercicios, me desmayé.

Fue lo mejor que me pudo haber pasado. Me enviaron a la enfermería donde dos amables enfermeras me dieron ocho vasos con deliciosa agua fría. Cuando preguntaron el porqué de mi deshidratación, les conté sobre el lavabo descompuesto. De inmediato lo repararon.

Ese no fue mi único problema de salud. Había estado tomando esteroides. En la cárcel no pude consumirlos, lo que me trajo todo tipo de efectos secundarios, como el regreso del acné en rostro, hombros y espalda. Cuando pedí un tratamiento médico, me dijeron que el problema era cosmético, no de vida o muerte, así que me lo negaron. Una vez más, no soportaba mirarme al espejo.

Otras cosas me parecían injustas y en mi opinión, eran abuso de poder de parte de los guardias. Estaba el tema del correo. Mi mamá me había estado enviando cartas, así como otros de sus guerreros de oración y algunas chicas con las que tuve fiestas en los centros nocturnos. Los guardias debían abrir las cartas y disfrutaron algunas de las provocativas fotos que las chicas incluyeron.

Cuando pedía mi correo, los guardias me daban excusas. Finalmente me harté. Estábamos de nuevo en nuestras celdas. Estaba tan molesto que empecé a patear la puerta hasta que logré abrirla. Entonces reaccioné. Recogí la puerta y la volví a poner en sus bisagras.

Un poco después de esto, los guardias me trajeron mi correo. Aunque vieron la puerta rota, no dijeron nada. Solo me cambiaron a una nueva celda, pero no volvieron a quedarse con mi correo más tiempo del debido.

Se suponía que estaría en la cárcel del condado por solo treinta o sesenta días antes de ser llevado a Lexington, la prisión central y más grande donde se evaluaba a los presos de acuerdo a sus crímenes y la longitud de sus sentencias, y de ahí se trasladaban a diferentes prisiones del estado. Me quedé ahí cuatro meses. Por lo menos el castigo no duró mucho, así que pudimos salir de nuestras celdas y pasar tiempo en el área común.

Esto trajo otro tipo de peligro ya que más de doscientos prisioneros andaban sueltos mientras los guardias permanecían a una distancia segura detrás del ventanal. Me volqué a mi lugar de confort: el entrenamiento físico. ¿Pero cómo lo haces en una prisión donde no hay equipo?

Convertí la parte baja de unas escaleras que conducían al segundo nivel de celdas en una estación de ejercicio. Un escalón de metal de la longitud de mis brazos, se transformó en una barra. El piso de concreto era mi colchoneta para las lagartijas. Los escalones fueron mi escaladora.

En mi nueva celda, mi nuevo compañero era un miembro de Crips, una pandilla de Los Ángeles. Igual que yo, había sido un atleta en el bachillerato. Al descubrir que teníamos algunos conocidos en común, nos hicimos buenos amigos. Fascinado por mi régimen creativo, se unió a mis entrenamientos.

Cierto día, al comenzar mi rutina, vi a dos Crips caminando hacia mí. Ambos eran más pequeños, quizá de 1,68 m y 68 kilos. Sus torsos y rostros estaban cubiertos con tatuajes. Empezaron a dar vueltas alrededor de mí como si fueran lobos, uno de ellos mirándome con frialdad, mientras que el otro vigilaba mi espalda.

Yo me movía para no perderlos de vista. A mí alrededor había silencio pues todos observaban. Jamás había sentido tanto miedo, ni siquiera cuando vi el cuchillo en el incidente del auto. Sabía que podía defenderme uno a uno, pero no dos contra uno.

Con los puños cerrados, esperaba su ataque cuando la voz poderosa de mi compañero de celda gritó: —¡Dejen a Cruz!

La rapidez con que ambos hombres se marcharon aclaró quién controlaba la sección. No tuve más problemas. De hecho, ese momento fue el más escalofriante. Al igual que el guardia que me habló en español y el que me fichó, mi nuevo compañero de celda fue una gran bendición que DIOS me dio, y se lo dije.

Cierta noche estaba profundamente dormido cuando un guardia se acercó a mi celda y dijo: —Despierta, Cruz. Empaca tus cosas. Ya te vas.

Por fin me llevarían al centro de evaluación y recepción de Lexington donde elegirían mi ubicación a largo plazo. Allí sucedió algo importante. Encontré en mi celda el libro *Una vida con propósito,* por un pastor cristiano llamado Rick Warren.

Aunque nunca me gustó mucho la escuela, empecé a leer libros de liderazgo en la universidad. Pero jamás había leído un libro religioso, a excepción de la Biblia, y solo para las clases de religión en la escuela católica. Este libro hacía la eterna pregunta que yo también tenía: ¿para qué estamos en la tierra? Explicaba cómo entender el propósito de DIOS en la vida. Ya que lo que yo necesitaba era un nuevo propósito y un futuro, las palabras de Rick Warren tuvieron gran impacto.

Todos los días oraba a DIOS por dirección para mi futuro. Había visto la mano de DIOS en sus bendiciones y protección hasta el momento. Así que me sorprendí cuando me dijeron: —Cruz, tu siguiente parada es Dick Conner.

« No puedes pedir a DIOS que te quite todos los problemas o te dé lo que tú quieres. Primero debes preguntar a DIOS cuáles son sus planes para que seas lo mejor que puedas ser ».

# —Abe Cruz

El centro correccional Dick Conner del condado de Orange tenía alrededor de mil doscientos prisioneros. Estaba dos horas al norte de la ciudad de Oklahoma y específicamente se había diseñado para criminales violentos. Era famoso por violencia racial y promediaba un apuñalamiento a la semana y un asesinato al mes. Yo había entrado a la prisión por un crimen no violento, así que no entendía porqué me enviaban ahí.

Subí al autobús con otros prisioneros, mis muñecas y tobillos encadenados. Algunos ya habían estado allí antes y les placía enormemente contarme sobre los apuñalamientos, las golpizas y las matanzas que habían visto, y lo que un novato como yo podía esperar. Debo aceptar que estaba aterrado.

El autobús se detuvo cerca de la puerta y un guardia subió. Para mi sorpresa, dijo: —Abe Cruz, quédate sentado.

Añadió: —Para el resto, esta es su parada. Bienvenidos al centro correccional de Dick Conner.

Una vez que los prisioneros bajaron, el guardia me llevó a una camioneta con las palabras: *Cárcel del condado de Creek, Sapulpa, Oklahoma*. Al subir, el conductor me dijo: —Tienes suerte, Cruz. Dick Conner está a su capacidad máxima, así que decidieron transferirte para reducir los números. De cualquier modo, no quieres quedarte en Conner. Un chico como tú terminaría haciendo algo contra su voluntad y consiguiendo más años en prisión. En el condado de Creek todo será mejor.

No había sido suerte. Una vez más, DIOS había intervenido para bendecirme y protegerme. El guardia, además, había tenido la razón. La sección donde me pusieron era más pequeña, con veintidós celdas y cuarenta y cuatro prisioneros. Y no eran violentos. La mayoría estaba ahí por uso de drogas y crímenes menores para sostener su vicio. Desintoxicados, eran bastante decentes y todos buscaban cumplir con su sentencia y no meterse en problemas. Muchos usaban Thorazine, así que dormían la mayor parte del tiempo.

Para mí ya habían pasado cuatro meses. Me había convencido que después de mi evaluación anual, como prometió mi abogado, el plan de DIOS era sacarme de ahí, y puse toda mi esperanza en ello. Aún faltaban ocho meses para mi revisión, así que, en mi opinión, la mejor manera de pasar el tiempo era durmiendo, como muchos de mis compañeros.

Fue fácil conseguir una receta de Thorazine. Solo debía decir la verdad, que estaba triste y deprimido. Los siguientes cuatro meses solo comí y dormí. Solo restaban cuatro. No sería difícil. Entonces llegó la carta de mi abogado que destruyó el capullo que había formado.

«Lamento informarte que la evaluación ha sido negada. El fiscal no cree que un año sea suficiente para que aprendas la lección».

Quedé destrozado. Todos estos meses me mantuve lejos de los problemas e hice lo que me pidieron con la esperanza de esa evaluación. Si antes me sentí deprimido, ahora realmente estaba deprimido y en descenso, lleno de confusión, miseria, miedo y enojo. ¿Cómo aceptar dos o tres años más tras las rejas? ¿Qué le diría a mi mamá? Ella también se había ilusionado por una evaluación favorable.

Los días siguientes me la pasé acurrucado y llorando en mi cama. Nadie me hizo caso. Todos estaban demasiado hundidos en sus propios problemas y una neblina de Thorazine. Después de todas mis esperanzas y oraciones por un nuevo comienzo, mi vida era un fracaso. Y perdí la esperanza que algo cambiara.

Gracias a DIOS, ¡otra vez me equivoqué!

# CAPÍTULO VEINTIDOS
# ORACION Y AYUNO

¿QUÉ DEBÍA HACER AHORA? HABÍA PLANEADO dormir durante los meses restantes del encierro. Pero no podía dormir durante los siguientes tres años. Si la prisión sería mi realidad a largo plazo, necesitaba hacer algo con mi vida *ahora*, no solo esperar mi liberación. Llamé a mi mamá, pero estaba demasiado conmovido para hablar.

—M'ijo, ¿qué pasa? —preguntó con preocupación.

Finalmente logré decir: —Mamá, recibí una carta de mi abogado. Dice que el fiscal negó mi revisión anual. No sé cuándo saldré. ¡Pudieran ser años!

Después de su reacción en la sala de juicio, me preocupaba que mi mamá se desmoronara por completo ante las noticias. Así que me sorprendió cuando dijo con tranquilidad: —M'ijo, todos acuden a DIOS cuando están en problemas y quieren algo, esperando que DIOS solo les dé aquello que piden. Pero no quieren sacrificar nada a cambio. Eso te incluye a ti, Abraham. DIOS es el único que te puede dar una segunda oportunidad. Él es el único que puede mostrarte la luz a través de la oscuridad. Si en verdad quieres que DIOS te dé una segunda oportunidad, debes orar y decirle cuán arrepentido estás por todo lo que has hecho. Debes *mostrarle* que estás dispuesto a sacrificar algo.

Supe que tenía razón. Mi mamá siempre la tenía cuando hablaba de DIOS y la fe. Se me prendió el foco entonces al darme cuenta cuán infantiles y egoístas habían sido mis oraciones. Jamás esperé ganar en el campo de fútbol o en la cancha de baloncesto sin dolor. ¿Cuántos años, sudores y entrenamientos sacrifiqué para el deporte? ¡Y había sido solo para ganar un partido! ¿Cómo podía pensar en ofrecerle menos a DIOS?

—Pero, ¿qué puedo hacer en una celda de prisión? —pregunté—. ¿Cómo puedo ofrecerle algo a DIOS aquí?

—En la Biblia, cuando las personas querían oír un mensaje de DIOS, oraban y ayunaban —contestó mi mamá—. Jesús oró y ayunó durante cuarenta días y cuarenta noches en el desierto antes de comenzar su ministerio público aquí en la tierra. Moisés ayunó cuarenta días y cuarenta noches en la montaña antes que DIOS le diera los Diez Mandamientos. La Biblia habla de muchos otros ayunos de personas que buscaban respuestas de DIOS. De hecho, Jesús le dijo a sus discípulos que algunos milagros solo venían por medio de la oración y el ayuno. La fe sola no basta.

Continuó con firmeza: —M'ijo, necesitas mostrar a DIOS que estás dispuesto a sacrificarte al orar y ayunar por cuarenta días. Solo una comida al día y algo de agua. DIOS escuchará tus oraciones y te dará una segunda oportunidad. Es el único camino, m'ijo. ¡Debes hacerlo!

Podía escuchar la preocupación en su voz. Al despedirnos, ambos llorábamos, pero le prometí hacer lo que me pedía. Esa misma tarde comencé y me arrodillé junto a mi cama, una angosta litera. No preste atención a las miradas de quienes me podían ver. En silencio, abrí mi corazón y hablé con DIOS como oí a mi madre hacer tantas veces.

*Querido Padre DIOS, estoy hecho un desastre. Lamento haberte descuidado y no haberte escuchado, ni vivido a tu manera estos pasados veintiséis años. He puesto muchas excusas. No he sido responsable de mis elecciones. He lastimado a otras personas con mis acciones egoístas. Así que voy a hacer lo siguiente. Voy a ayunar para ti, voy a sacrificarme durante los siguientes cuarenta días para que veas que hablo en serio. Si lo hago, ¿me darás una segunda oportunidad? ¿Me podrías, por favor, ayudar a salir más pronto que tarde? Si me sacas de aquí, prometo representarte en todo lo que haga. Haré todo lo que pueda para que tu mundo sea un mejor lugar. Ayudaré a los menos afortunados.*

Reconozco que aún actuaba con mucha inmadurez, regateando con DIOS como en un juego de *Hagamos un trato*. Agradezco que nuestro Padre DIOS no nos juzga de la misma manera como nosotros juzgamos a los demás. Él sabe cuando estamos sinceramente arrepentidos y tiene compasión aún cuando no entendamos todo. Tal vez mi oración no fue perfecta, pero fue totalmente honesta.

Esa noche, mientras dormía, empecé a tener sueños increíblemente descriptivos y poderosos. Las imágenes brillantes y vívidas revivían las historias de la Biblia y la historia de la humanidad: Adán y Eva en el jardín del Edén, los dinosaurios vagando por el mundo, DIOS creando árboles y plantas y animales, eventos como Moisés liberando a los israelitas o David luchando contra Goliat. Ni siquiera me di cuenta que esas historias estaban en la Biblia.

Una de esas visiones fue sobre el patriarca Abraham del Antiguo Testamento, por quien recibí mi nombre. Sobre una colina, contemplaba la vasta tierra y DIOS le dijo: —Debido a tu fe y obediencia, te bendeciré y serás bendición a otros. La gente de toda la tierra será bendecida por ti.

Me enteré mucho después que esta visión estaba en la Biblia (Génesis 12:18, Gálatas 3:9). Tampoco supe que sería una profecía de mi propio futuro y de la enorme bendición de DIOS en mi vida. Dios me permitiría ser una bendición a otros en lugares diferentes del mundo.

La parte más increíble de esta visión fue que yo sabía que DIOS estaba conmigo. No tengo palabras para describir esa experiencia. Era como si me inyectaran luz, calor y amor. Se sentía como si un padre tierno y cariñoso, como el que nunca tuve, me abrazara, limpiara mis lágrimas y me dijera: —M'ijo, ¡te amo!

Entonces reconocí que en todos esos años de enojo por no tener un padre, por una niñez de pobreza, dolor y rechazo, por todo lo que había salido mal y por sentir que DIOS me había fallado, mi Padre Celestial no me había dejado. Me mandó bendiciones que superaban los tiempos difíciles. Me dio una mamá que me amó y peleó por mí y nunca dejó de creer en mí. Me mostró amor paternal a través de personas como Ken Mendoza, Oscar, los entrenadores que se preocuparon por mí, incluso los oficiales de policía que expresaron preocupación y compasión. Y estaba conmigo justo ahí, en esa oscura y deprimente cárcel.

Cuando desperté a la mañana siguiente, me sentí limpio y como nuevo. De inmediato empecé a planear mi ayuno de cuarenta días. Pasé la mayor parte del día ayunando de comida y agua, y por la tarde hacía una comida y tomaba agua. Mi mamá me dijo que me sentiría débil, pero de hecho, me sentía más fuerte y alerta que antes.

Comenzaba cada día con un tiempo de oración, dando gracias a DIOS por todas sus bendiciones y lo que estaba haciendo por mí. Luego pasaba el resto del día escribiendo cartas a mi mamá y a David, socializando con otros presos, jugando baraja y leyendo la Biblia y libros de la biblioteca de la prisión.

Le daba mi charola con el desayuno y el almuerzo a otros presos, y solo comía la cena. Antes de eso, entrenaba y seguía la rutina que inventé en la cárcel del condado de la ciudad de Oklahoma. Empecé a perder mucho peso. De hecho, bajé casi catorce kilos en este tiempo. Pero me sentía más fuerte y en forma que antes. Terminaba mi día con otro tiempo de oración.

Cada noche experimentaba nuevos sueños. Eran tan vívidos y claros, aún al despertar, que supe que eran visiones de DIOS. Me veía mirando grandes muchedumbres tal como Abraham miró la tierra que DIOS le prometió. Me veía ayudando a personas de todas las edades y les hablaba de cuánto DIOS las amaba. Había niños que se habían lastimado. Adolescentes en reformatorios. Un anciano que se había caído y necesitaba ayuda para levantarse.

Durante las semanas de mi ayuno, empecé a notar que el tema central de las visiones era servir a otras personas. Esto me trajo a la mente una cita que leí del orador Jim Rohn: «El más grande servicio que podemos darle a la humanidad es encontrar la manera de servir a mucha gente». Para llevarlo al siguiente nivel, reconocí que la mejor manera de servir a DIOS era sirviendo a otros. Esto era el verdadero sacrificio. A este futuro DIOS me estaba llamando.

También vi otras cosas que eran destellos del futuro. Me vi en la portada de revistas. Me vi escribiendo libros, tiras cómicas de inspiración y guiones de película. Me vi usando mi interés en diseñar ropa y en entrenar como un modo para crear un programa de condición física y una línea de ropa basada en la fe. Me vi en televisión, hablando a millones alrededor del mundo. Supe que esta era la segunda oportunidad que le había pedido a DIOS para mi nuevo comienzo.

> **« Jamás esperé ganar en el campo de fútbol o en la cancha de baloncesto sin años de sacrificio, sudores y entre-namiento. ¿Cómo podía pensar en ofrecerle menos a DIOS? »**
> **—Abe Cruz**

Mi antiguo yo lo hubiera visto como una escalera más al éxito, la fortuna y la fama. Esta vez, sabía que no era para volverme rico y famoso. Se trataba de servir a otros, traer la gloria a DIOS y llevar el amor de DIOS a otras personas. Se trataba de usar la plataforma que DIOS me estaba dando para mostrar a otros cuán fiel es DIOS cuando somos fieles a él.

Cada día, al despertar, escribía estas visiones. Hice una lista de lo que veía en mi futuro: entrevistas, portadas de revista, televisión, película, compañías propias, escribir un libro. Dibujé ideas para mi serie de tiras cómicas y para el guion de una película. Ambas trataban de un joven protagonista llamado Justicia Oscura quien es el guerrero de DIOS en una misión para descubrir el asesinato de su padre y lograr la justicia a cualquier precio. La trama estaba llena de mis propias experiencias con el tráfico de drogas, la corrupción y el dinero ilícito.

Uno de mis compañeros de sección, un tipo grande que medía más de 1,90 y pesaba más de ciento veinte kilos, era un talentoso artista. Ganaba dinero haciendo tarjetas que los prisioneros podían enviar a casa. Deseaba mantenerse en forma y empecé a intercambiar mis servicios de entrenamiento físico por ayuda con mi tira cómica. Le daba mis ideas de la trama y el diálogo y él las dibujaba.

También escribía pensamientos de inspiración que recibía de DIOS. Una nota a mano dice: «Estaré en la portada de revistas en todo el mundo e inspiraré y motivaré a las personas en situaciones difíciles y desafiantes». Otra dice: «La verdad de Dios descubre las mentiras de Satanás». Una tercera: «Los sueños son simplemente metas que aún no alcanzas».

También escribí frases para la línea de ropa que visualizaba: *Sin sacrificio, no hay victoria...La mente sobre el corazón... Entrena por fe, no por vista... Lo imposible se vuelve posible con fe.*

Aún conservo los papeles que escribí en la cárcel. Lo impresionante es que todo lo que vi en esas visiones se ha hecho realidad, pero más de eso después. Por supuesto, no sabía cuándo pasaría, pero ya no tenía prisa por salir de la prisión. El fiscal decía que un año no era suficiente para que aprendiera mi lección y creo que DIOS estaba de acuerdo con él. Ahora comprendía que DIOS estaba usando mi experiencia en la cárcel como un lugar de entrenamiento para aprender paciencia, humildad y empatía, y para crecer en la fe. Todo daría fruto en su debido tiempo.

Mi nuevo comienzo ¡empezaba ahora mismo!

# CAPÍTULO VEINTITRES
# UN NUEVO COMIENZO

NADA SUCEDE SIN AFECTAR A OTROS. Otros prisioneros me empezaron a preguntar qué hacía. Compartí con ellos el motivo de mi ayuno y lo que DIOS estaba haciendo en mi vida. Algunos de ellos quisieron unirse a mis sesiones de ejercicio y tuve a ocho entrenando conmigo.

Y no solo entrenaban. Después de cenar, nos reuníamos —como hice antes con mis compañeros de equipo y otros universitarios durante mis días en los negocios— para leer la Biblia, libros sobre liderazgo e incluso revistas deportivas como *Iron Man*.

Nuestro desafío más grande era hacer pesas ya que no podíamos tener nada que pudiera considerarse un arma. Recolectamos bolsas de plástico y las metimos una dentro de la otra, luego las llenábamos de agua. Las bolsas de abarrotes funcionaban como pesas de casi cinco kilos, mientras que las bolsas para basura llegaban a pesar hasta cuarenta y cinco. Usamos los palos de madera de los destapacaños y las escobas para colgar de ellos nuestras pesas de agua.

De niño, había tomado en serio mis entrenamientos frente al televisor. Ahora, me educaba en fitness y nutrición. Afuera me dejé llevar por el ritmo y las prisas que nos distraen tanto que pasamos por alto el potencial que DIOS nos ha dado. Todo el tiempo libre en prisión me permitía desacelerar y enfocarme en convertirme en la mejor versión de mí mismo.

El cómo obtuvimos una suscripción a la revista *Iron Man* es una buena historia. Ya mencioné a Lonnie Teper, el anfitrión del clásico de la Costa

Oeste de la NPC, quien me introdujo al físico culturismo. Mientras estaba en prisión, un amigo de Los Ángeles, Joe Shen, entró al mismo concurso que yo. Jay Cutler, cuatro veces campeón de Sr. Olympia —el premio más importante para el culturismo— participó como invitado especial en el evento. Joe logró que me diera su autógrafo que decía: «Apresúrate y sal de prisión. Una vez que lo hagas, ¡entrena duro!». Firmado por «Jay Culter, Sr. O».

¡Guau! No sé qué me animó más, si el autógrafo personalizado de uno de los mejores físico-culturistas de todos los tiempos o que mi amigo Joe se esforzara tanto por obtenerlo. Joe también me envió una suscripción de un año para la revista de *Iron Man*. Leí cada número con mi grupo y aprendimos qué comida comer, los mejores tiempos para perder peso y lograr aumento muscular y otra información valiosa.

Además de la Biblia, leía libros sobre liderazgo y desarrollo personal. Leí *Las 21 leyes irrefutables de liderazgo* por el autor cristiano llamado John C. Maxwell. Me impresionó descubrir cuántos principios de buen liderazgo provenían de la Biblia. El orador Jim Rohn también se refería al *Buen Libro* (la Biblia) en sus principios de liderazgo.

Sus enseñanzas me hicieron ver que ser un buen líder no es ser exitoso, rico o famoso. Después de todo, Jesús ha sido el mayor líder de todos los tiempos, y enseñó que quien quiera ser el primero debe servir a los demás. Así vivió Jesús. En Oscar y otros mentores vi las características de un verdadero líder, como tratar a otros como quieras ser tratado, ser amable, respetuoso, amoroso y solícito. Ese tipo de líder quería ser y tener la mentalidad de un verdadero campeón.

En ese tiempo conocí a otro verdadero campeón que impactó mi vida. La cárcel del condado de Creek tenía un ministerio para la prisión patrocinado por varias iglesias del área de Sapulpa. Muchas buenas personas se ofrecían como voluntarios y no me acuerdo mucho de ellos. Por lo general se quedaban en el área común e invitaban a los interesados a unirse a algún tipo de servicio religioso.

No los culpo por sentirse nerviosos por acercarse a un grupo de prisioneros. Por eso, John Helstrom sobresalía. Corpulento, canoso y en sus sesentas, caminaba dentro de nuestra sección sin titubeo ni miedo. Jamás olvidaré nuestro primer encuentro. Escribía mis típicas notas mientras veía la televisión cuando se acercó y puso una mano sobre mi hombro.

—¿Cómo te llamas, muchacho? —preguntó.

Su sonrisa me contagió y sonreí de regreso.

—Soy Abraham Cruz. Todos me dicen Abe.

—Abraham, un nombre bíblico. Abraham fue un hombre de fe. Un buen recordatorio de que DIOS te ama y quiere darte un futuro. Así que, ¿cómo estás, Abe? Cuéntame de ti. ¿Cómo te está yendo aquí?

## « Las principios básicos de un verdadero líder son amar a Dios y amar a otros ».

### —Abe Cruz

John derramaba amabilidad y siempre parecía genuinamente interesado en mí y en mis compañeros. Después de hacer sus rondas en nuestra sección, tomaba su Biblia y nos hablaba de lo que ella decía. No le interesaba nuestro trasfondo religioso —protestantes, católicos, musulmanes, judíos, agnósticos— o nuestra etnia. Todos éramos hermanos leyendo del Buen Libro y orando juntos.

John nos contaba historias de la Biblia sobre personas que cometieron muchos errores, pero DIOS los perdonó y ellos rehicieron su vida. Recuerdo al rey David y al apóstol Pablo. La lección para John siempre era que DIOS nos amaba y teníamos un futuro. También hablaba sobre Jesús y cómo se sacrificó a sí mismo en una cruz para que nosotros pudiéramos ser perdonados y tuviéramos esperanza, no solo en la prisión o al salir de ella, sino por siempre, en el cielo.

Escuché lo mismo en la escuela católica. Pero en ese entonces fue información que debía repetir para el examen en la clase de religión. Ahora, mi corazón lo entendía. Todo comenzaba a acomodarse y a tener sentido por primera vez. Me sentía como nuevo por dentro, como si hubiera empezado de nuevo. Ahora sé que era el Espíritu Santo trabajando en mi corazón y en mi vida.

También comprendí la sencillez del mensaje de la Biblia. Nosotros mismos lo complicamos con discusiones de teología y doctrina. Pero Jesús mismo, cuando le preguntaron cuál era el más grande de los mandamientos, lo resumió en dos enunciados sobre lo que la fe es (Lucas 10:27). Ama al Señor tu DIOS con todo tu corazón, con toda tu alma, con todas tus fuerzas y con toda tu mente. Ama a tu prójimo como a ti mismo. En otras palabras, las principales ideas que definen la mentalidad de un campeón son: pon a DIOS primero y en segundo lugar sirve a los demás.

El resto de la Biblia cuenta las historias del poder y los milagros de DIOS. De los errores que los hombres cometen. De buenas y malas decisiones. De las enseñanzas que nos librarían de problemas si tan solo las siguiéramos. De personas que eligieron seguir a DIOS y personas que decidieron rechazarlo. Al final, todo se resume en los dos mismos principios básicos de un verdadero líder: amar a DIOS y amar a otros.

Las cosas no siempre marchaban bien en nuestra sección. Solo había cuatro teléfonos y llamaba a mi mamá cada tercer día. Sabía que estaba batallando para salir adelante sin mi ayuda financiera. Pero durante nuestras conversaciones me levantaba el ánimo y me animaba a confiar en DIOS.

Otros prisioneros no tenían a alguien como ella en sus vidas. Resultaba imposible no escuchar sus conversaciones. Algunos esposos culpaban a sus esposas por sus problemas; los padres les gritaban a sus hijos. Otros lamentaban que sus familiaress los hubieran abandonado. Hombres grandes y rudos, rompían en llanto y decían: —¿Qué haré cuando salga? No tengo nada. No tengo a nadie. Por lo menos aquí tengo una cama, tres comidas al día y una ducha. ¡Prefiero quedarme aquí!

También había violencia. Los conflictos raciales entre prisioneros estallaban con regularidad. El peor incidente involucró a un joven de quizá veinte años, a meses de ser liberado. Se unió a mi grupo de la tarde y escuchaba nuestras lecturas y discusiones, aunque su interés principal era el entrenamiento físico. Yo conocía sus dificultades, así que traté de compartir con él el amor de DIOS.

Cierto día, tuvo una pelea con otro prisionero que le debía cincuenta centavos por un paquete de fideos. El otro no le quiso pagar, así que el joven lo apuñaló en el cuello con un lápiz afilado. En lugar de ser puesto en libertad, se lo llevaron y añadieron a su sentencia.

Los presos no solo perdían la fe en sí mismos. Perdían la fe en sus familias y en sus hijos. Después de crecer en una familia donde mi padre se rindió, me dolía ver a otros padres renunciar a sus hijos. Trataba de compartir con ellos que DIOS nos ama a todos y nos quiere dar una segunda oportunidad. Pero no puedes imponer tus pensamientos y creencias en quienes no quieren escuchar. Como dice otra cita poderosa que aprendí, esta vez del presidente Teddy Roosevelt: «A la gente no le importa cuánto sabes hasta que sepan lo mucho que te importa».

Significa que no se trata de ir a alguien que está dolido y decirle que todo saldrá bien si tan solo se comporta como es debido. Debes pasar tiempo con las personas para conocerlas. Debes mostrarles el amor de DIOS y mostrar que te interesan. En otras palabras, debes ser a otros lo que John Helmstrom fue para mí.

—No pierdas la fe. DIOS te ama —nos decía—. Está bien, quizá no estés listo para creer en DIOS. Entonces confía en ti mismo. Cree que hay un futuro. Cree que las cosas se solucionarán. Cuando pierdes la fe, todo se acaba. Así que, por sobre todo, mantén viva tu fe.

Cierto día, jugaba baraja española con algunos presos. En el televisor cercano pasaban el programa de concursos *Quiero trabajar para Diddy*, donde buscaban al asistente personal de Sean John Combs, un famoso rapero y diseñador de ropa. Para ganar, los concursantes debían proponer un plan de negocios viable que llevara la línea de ropa de Sean John al siguiente nivel.

Mientras jugaba cartas, les compartí a los demás la visión que DIOS me había dado de comenzar mi propia marca de ropa que inspirara y motivara a personas, no solo porque alguna celebridad la usara sino por su mensaje y propósito. Después de todo, todos usaban ropa, así que este producto siempre tendría un mercado, aunque no lo haría para ser famoso o rico, sino para ayudar a otros y cambiar vidas e impactar al mundo.

Los otros jugadores se rieron de mí y me dijeron que estaba loco. Así como era imposible ver un muñeco de nieve en un volcán, un prisionero no podía convertirse en un exitoso hombre de negocios. Ignoré sus bromas y empecé a lanzar ideas sobre el nombre de mi marca.

De repente, la idea vino sola. Todo lo que DIOS me había mostrado en las visiones giraba alrededor de la fe. Mi mamá me dijo incontables veces: «No pierdas la fe, m'ijo». Pensé en todas las veces que animé a mis compañeros de prisión a mantener la fe. La fe no es para ciertas ocasiones. La fe no funciona a veces sí o a veces no. La fe es real. La fe es para siempre.

Y supe entonces que tenía mi marca y mi mensaje: «Forever Fe» (Forever Faith).

# CAPÍTULO VEINTICUATRO
## MANTENIENDO LA FE

DESDE ESE MOMENTO, COMENCÉ A CREAR lo que hoy llamo mi «plan de negocios de prisión». En los siguientes meses, escribí cada pensamiento e imagen que venía a mi mente, así como diseños para ropa, joyería y placas de identificación, frases de inspiración y slogans, incluso tonos de color y tipos de tela. Me di cuenta que me había estado preparando para esto desde que empecé a crear mi propia moda en la escuela primaria.

Mi amigo, el artista, me ayudó a dibujar logos y patrones. Creamos líneas para cada edad, incluso mamelucos infantiles. *Forever Fe (Forever Faith)* vino a ser mi firma para todo lo que hacía. Incluso lo ponía en los sobres donde enviaba cartas a mi mamá, mi hermano y otros amigos.

Finalmente le mostré a John Helstrom todas mis ideas. Solo quería saber si mis garabatos tenían algún valor para alguien que no fuera yo. La respuesta de John me animó.

—Son increíbles. En cuanto a si tu visión se hará realidad, DIOS está en el negocio de hacer milagros. Los hizo para tu tocayo Abraham. Si este es el futuro de DIOS para ti, hará que suceda. —John terminó diciéndome: — Mira, hijo, DIOS tiene algo especial para ti. Cuando salgas de aquí, quiero que me llames. Si necesitas algo, búscame.

Como recordarás, vine al condado de Creek por falta de espacio en otra prisión, así que suponía que tarde o temprano me transferirían a otro lugar. Hoy agradezco que me dejaran trece meses allí, antes de ir al centro correccional James Crabtree, una prisión de mediana seguridad con cerca de doce mil presos, incluidos delincuentes violentos.

Cuando llegué, mi consejero me informó: —Señor Cruz, este lugar no es para usted, pero nuestra capacidad se ha visto rebasada en otros lugares. Haremos lo posible por sacarlo de aquí, pero puede tardar entre tres a seis meses —me dijo. Luego, al terminar nuestra reunión de orientación, añadió: —Ande atento y cuídese la espalda.

¡No el consejo de más consuelo! Ya no me sorprendía el problema de sobrepoblación. En ese tiempo, Oklahoma tenía la tasa de encarcelamiento per cápita más alto en el mundo, y desde entonces alterna con Luisiana. ¡Sí, leíste bien! No solo en los Estados Unidos o Norte América, sino en el planeta entero. Cuatro veces más que Irán. Diez más que China. Mi nueva unidad tenía cerca de doscientos prisioneros, muchos de ellos reos de por vida, así que no les importaba meterse en problemas.

Aquí no había un John Helstrom. Tampoco había programas o empleos debido a la sobrepoblación. Pero ya no era un preso nuevo y asustado. Por lo menos este lugar tenía una cancha techada de baloncesto y una pista de atletismo, así que pasaba mucho tiempo corriendo, haciendo ejerciendo y llevando a cabo mi programa de lectura. De ahí en fuera, me mantenía lejos de los demás.

Cuatro meses después, un guardia me despertó en medio de la noche.

—¡Cruz, serás transferido!

Sentí un gran alivio. Había sobrevivido a ese lugar sin un rasguño. *¡Gracias, Padre DIOS!*

El centro de trabajo comunitario Frederick en Frederick, Oklahoma, unas horas al suroeste de la ciudad de Oklahoma, me levantó el ánimo, ya que un centro de trabajo por lo general indica que la libertad no está muy lejos. Había estado preso casi dos años. Lograría sobrevivir dos o tres años más con la promesa de una pronta liberación.

El centro de trabajo parecía un campamento para niños exploradores a comparación de Crabtree. Solo había cerca de cien prisioneros y el lugar era mucho más cómodo, pues tenía excusados y regaderas que contaban con agua tibia. La comida era mejor que la que había probado en dos años y, ya que las instalaciones eran de seguridad mínima, no había muchas rejas. También había un gimnasio, un campo de softball y pesas reales.

Aún más, un centro de trabajo implicaba tener un empleo en vez de estar sentado todo el día. Y debido a esto me metí en problemas otra vez. Hacía poco me habían dado medicamento para mi problema de acné que dejaba la piel muy sensible si se exponía al sol. Mi primera mañana en Frederick, me tocó barrer las calles. Con la temperatura por arriba de los treinta y ocho grados centígrados, mi rostro se puso colorado y se ampolló.

Le expliqué el problema al oficial a cargo. Probablemente no debí mencionar que necesitaba cuidar mi apariencia pues saldría en la televisión y portadas de revistas una vez fuera de prisión. El guardia no me mostró simpatía. —Cruz, sal, cállate y haz tu trabajo. Si no mejoras, serás enviado de vuelta a una cárcel más violenta.

Me quedé callado pues no quería regresar a Crabtree. Agradezco que una semana después recibí una nueva tarea, aunque para estas alturas mi rostro y otras partes de mi piel se habían quemado y empezaban a pelarse. Mi nuevo trabajo requería organizar y distribuir la ropa para los presos. Terminaba a las tres, así que tenía el resto de la tarde para ejercitarme. ¡Qué diferencia usar pesas verdaderas! Con la posibilidad de quedar libre, me enfoqué en mejorar mi condición y aspecto físico.

DIOS contestó otra oración cuando me transfirieron a trabajar a la cocina del hospital en Frederick. Esto incluía buena comida como pollo, pescado, carne, así como los batidos de proteínas que quería. En otras palabras, una dieta perfecta y saludable. Mi energía y mi nivel de fitness estaban como antes de ir a prisión, y me sentí contento.

Aún no tenía amigos con quiénes entrenar o estudiar como en el condado de Creek, en parte porque estas instalaciones ofrecían más actividades y programas, además del trabajo. Pero me hice amigo de algunos presos, e incluso de los guardias y el alcaide. Todos pensaban que estaba loco cuando hablaba de mi futuro. Pero también me animaban, y pude ver que querían que mis sueños se hicieran realidad, aun cuando pensaban que eran imposibles para un ex presidiario.

# « Los sueños son simplemente metas que aún no alcanzas ». — Abe Cruz

Entonces un día mi consejera me dijo: —Cruz, hora que consigas tu licencia de conducir.

No necesitas una identificación o una licencia a menos que pronto vayas a salir. La consejera me advirtió que mi libertad podía tardar todavía unos meses y eso dependería de mi buen comportamiento. Luego me preguntó: —¿Y cuáles son tus planes una vez fuera? Recuerda que estarás en libertad condicional así que no puedes salir del estado de Oklahoma.

No había pensado en el futuro inmediato, solo en el de a largo plazo. Empecé a orar sobre el tema. *Padre DIOS, ¿dónde debo ir? Por favor, guíame.*

Mis dos elecciones lógicas para encontrar trabajo y hospedaje eran la ciudad de Oklahoma o Tulsa. Al orar, el Espíritu Santo mostró que Tulsa estaba en los planes de DIOS. No fueron meses, sino un breve tiempo después de conseguir mi licencia, que, de regreso del hospital, encontré al oficial supervisor esperándome.

—Cruz, empaca tus maletas —me dijo con solemnidad—. Sales de aquí por la mañana.

Mi primer pensamiento fue que algo terrible había sucedido y me regresarían a Crabtree o a otra prisión. Luego el oficial me mostró una enorme sonrisa.

—Oye, ¿no entendiste? Llegaron tus papeles. Te vas a casa. A partir de mañana, ¡eres hombre libre!

En ese momento, perdí el control y rompí en lágrimas de alegría. Regresé a mi litera para empacar, y alabé y di gracias a DIOS. No solo por la libertad, sino por el increíble recorrido. Por la bendición que la prisión vino a ser para mí. Sabía que el amor celestial de mi Padre permitió que tocara fondo para llegar a ser la persona que él quería que fuera. Y porque me amaba, nunca me había dejado solo. Había enviado muchos amables desconocidos en el camino. Desconocidos que se volvieron mis amigos y mentores. Él había estado a mi lado, intercediendo por mi seguridad. Me ayudó a no perder la fe.

*¡Gracias, DIOS! ¡Gracias, Padre celestial!*

El 24 de marzo de 2010, dos años y ocho meses después que me entregué en el juzgado en la ciudad de Oklahoma, fui liberado del centro de trabajo de Frederick. Debía usar un monitor de tobillo en el futuro inmediato. Debía respetar el toque de queda y ser supervisado por un oficial de libertad condicional. Pero estaba libre.

Los últimos tres años me habían dado una nueva apreciación por las cosas básicas de la vida que una vez di por sentadas. Levantarme a la hora que quería. Tomar una ducha cuando quisiera. Comer la comida que yo eligiera y cuando la quisiera. Elegir dónde ir y qué hacer. Aún hoy agradezco a DIOS por ellas cada día. No todos en el mundo tienen esas bendiciones, ya sea porque están en prisión o viviendo en gran pobreza o en un país donde no existen esas libertades.

Ahora el nuevo Abe Cruz debía convencer a los que habían conocido al viejo Abe que había cambiado. Era libre, pero también un ex convicto. Tenía fe en las visiones que DIOS me había dado en prisión. Pero para que se hicieran realidad, debía mostrar a todos que había cambiado de la estadística negativa y estereotipada de un ex presidiario a una historia de éxito.

# CAPÍTULO VEINTICINCO
## ABE 2.0

DICEN QUE LA CÁRCEL CAMBIA LA VIDA para bien o para mal. Estadísticamente, es para mal. Todo se pone en contra de un ex convicto, y por lo general nadie está dispuesto a ayudarlo o darle una segunda oportunidad. Es una realidad que debes aceptar como un ex presidiario y tomar responsabilidad de tus acciones y sus consecuencias.

Cuando mi mamá me animó a pedir a DIOS por una segunda oportunidad, le prometí a DIOS hacer todo en mi poder para representarlo. ¡Y lo dije en serio! Debes hablar en serio si quieres que DIOS tome tus promesas en serio. Llegué a prisión quebrantado, herido y perdido. En los últimos tres años, DIOS me había entrenado y ayudado a ser un soldado más sabio, fuerte y fiel. Mis tiempos profundos de oración me enseñaron el camino y la misión de cambiar lo negativo a algo positivo. Había soportado el dolor y el sufrimiento por hacer lo malo en el pasado. Ahora estaba preparado a más dolor y sufrimiento, pero esta vez para hacer el gran trabajo de DIOS.

Agradezco haberme preparado porque la libertad no resultó tan maravillosa como la soñé. Un oficial correctivo me llevó hasta Tulsa. En la primera parada conocí a mi oficial de libertad condicional y se me colocó el dispositivo de vigilancia en el tobillo. El oficial explicó que tenía catorce días para conseguir un empelo. Además de renta y otros gastos, debía pagar setenta y cinco dólares al mes por mi monitor de tobillo.

Luego me mostraron mi nueva vivienda. La casa de acogida o de reinserción tenía tres recámaras, un baño, una pequeña cocina y seis residentes. Los demás estaban allí por abuso de drogas y alcohol, así que parte de las reglas de la casa incluían inspecciones aleatorias y exámenes de orina. Pronto me di cuenta que algunos de ellos todavía consumían.

Eso me preocupó ya que, si en una inspección encontraban drogas, sería solo mi palabra contra la evidencia. Lo último que quería era volver a la prisión solo porque mi compañero de cuarto era un drogadicto. Además, no había un guardia o un supervisor en la vivienda. No tenía un cuarto privado para encerrarme y me daba más miedo dormir allí que en prisión.

Después de darme las reglas sobre el toque de queda y otros detalles, me dirigí al transporte más cercano para empezar a buscar trabajo. Tenía un plan. Iría a un gimnasio y empezaría a entrenar. Una vez que vieran mi condición física y que sabía lo que hacía, mencionaría casualmente que estaba buscando trabajo.

Mi plan funcionó de maravilla y hablé con el gerente. Pero en el momento en que mencioné mi monitor de tobillo, el interés se evaporó. Me desilusioné mucho, pero comprendí su titubeo. Después de todo, no sabían quién era y qué situación me había llevado a tener un monitor de tobillo. Lo único que veían era a un hombre que había estado en prisión. De cualquier modo, solo era el primer día y había más gimnasios.

Visité más gimnasios y oficinas de bienes raíces, ya que tenía amplia experiencia y podía obtener buenas referencias de Los Ángeles. Sin embargo, cada vez que descubrían que había estado en la cárcel el interés se evaporaba. Finalmente, tomé un autobús a la casa de acogida, ya que si no regresaba antes de las siete, me metería en problemas.

En los siguientes diez días, me iba a las siete de la mañana y regresaba antes de mi toque de queda. Cada día visitaba un vecindario diferente, yendo a cada gimnasio, deportivo y oficina de bienes raíces que encontraba. Pero cada día recibía la misma respuesta.

En el día once, recibí una llamada del oficial de libertad condicional.

—Cruz, ¿por qué no tienes un nuevo trabajo?

—He buscado por toda la ciudad —le expliqué—, pero nadie me contrata.

Cuando le di la lista de lugares a los que había ido, estalló:

—Son gimnasios y oficinas de bienes raíces. ¿Por qué no vas a McDonalds, Burger King o Starbucks?

—No se me ocurrió —respondí—. Quiero decir, estoy más calificado que eso.

No intentaba ser arrogante. Considerando el tipo de trabajos y sueldos que tuve antes de la prisión, no se me había ocurrido ir tras trabajos más sencillos y de salario mínimo. El oficial estalló: —¿Crees que los ex presidiarios pueden ser exigentes? ¿Eres demasiado bueno para la comida rápida? Sal ahora mismo porque te quedan setenta y dos horas. Si no tienes un trabajo para entonces, te mando de regreso a la prisión.

Estaba demasiado asustado cuando colgué. Había estado encerrado casi tres años, y con once días de libertad, me hallaba en peligro de ser enviado de regreso. Llamé a mi mamá para compartir mi situación. Como siempre, me tranquilizó: —M'ijo, cálmate. DIOS está contigo. Oremos juntos y pidamos dirección a DIOS para encontrar el trabajo correcto.

Después de orar, estaba más tranquilo. Tenía una posibilidad más, aunque poco probable. Había visitado un gimnasio cerca de la casa de acogida llamado All American Fitness, una cadena regional con numerosas sucursales en Tulsa, la ciudad de Oklahoma y otros lugares. Me ofrecieron una entrevista para una sucursal diferente en el otro lado del área metropolitana de Tulsa. La entrevista era a las nueve y en autobús tomaría tres horas llegar allí. Ya que el otro gimnasio me rechazó, no creí que valiera la pena todo el esfuerzo solo para recibir otro no, a menos que pudiera conseguir quién me llevara allá.

Desafortunadamente, no tenía ni un solo amigo o conocido con auto en Tulsa, a excepción de mi oficial de libertad condicional, quien no se ofrecería.

Entonces recordé lo que John Helstrom me había dicho en la cárcel del condado de Creek.

—DIOS está en el negocio de los milagros... DIOS tiene algo especial para ti, Abe... Si necesitas algo, sólo búscame.

Eso había sido dos años atrás. ¿Habría sido sincera su oferta? Con tantos presos, ¿me recordaría? La única manera de averiguarlo era dando un salto de fe y marcándole.

John sonó feliz y de inmediato se ofreció a llevarme cuando le conté sobre la entrevista. Añadió gozoso: —Solo con una condición. Te llevaré a la entrevista. A cambio, vendrás conmigo a la iglesia este domingo.

Acepté con gusto. Al otro día, John me recogió de la casa de acogida. Me había vestido bien, con una camisa azul clara y pantalones negros. Llegamos con tiempo de sobra a la entrevista. Antes de bajar del auto, John dijo: —¿Te molesta si oro por ti antes de que entres?

—Sí, por favor, se lo agradecería —respondí.

Ambos agachamos la cabeza mientras John oraba poderosamente pidiendo a DIOS gracia y bendición para este trabajo. Me sentí profundamente tocado por su amabilidad. Entré al gimnasio donde me presenté con humildad, pero confianza, al vicepresidente de operaciones de la cadena, Scott Matlock. Pareció impresionado con mi currículo hasta que notó el espacio en blanco entre 2007 y 2010.

—¿A qué te has dedicado desde el 2007? —preguntó.

Nuestra conversación se tornó extraña. Debía ser honesto con él, así que le expliqué cómo tomé las decisiones equivocadas y once días atrás había sido libertado de prisión.

—Pero mi vida ha cambiado y quiero empezar de nuevo. Estoy ansioso de trabajar... y trabajar duro. De hecho, lo único que puedo hacer por ahora es trabajar e ir a casa, por lo que gustoso trabajaré tantas horas como usted necesite.

Me miró por un momento y asintió.

—Está bien, Abe, te daré una oportunidad.

Y así conseguí trabajo. Alabando a DIOS por su bendición, encontré un lugar tranquilo para llamar a John Helstrom. Con entusiasmo le conté: —¡Tu oración funcionó! ¡Me dieron el trabajo!

—Amén, ¡felicidades! —respondió—. Ahora prepárate para la iglesia el domingo en la mañana. Te veo entonces.

## « DIOS usa personas como instrumentos para impactar las vidas de otros ».
### —Abe Cruz

Después de la entrevista, Scott permitió que me quedara para familiarizarme con el gimnasio. Me puse ropa deportiva y tuve una buena sesión de entrenamiento. Luego salí y fui a la tienda contigua que vendía suplementos nutricionales por un batido de proteína. Mientras la dueña preparaba mi batido, un cliente entró. Yo traía puesta una camiseta sin mangas y seguramente me veía como un entrenador porque el cliente me preguntó qué tipo de suplementos le recomendaba. Le di unos consejos al cliente.

La dueña, una amable mujer mayor, se alegró tanto con la venta que insistió en darme el batido sin costo. Luego me preguntó si estaría interesado en un empleo. Acordé en trabajar para ella las horas que no estuviera en el gimnasio. ¡El poder de la oración! Un día antes, me habían amenazado con regresarme a la cárcel porque no podía encontrar un trabajo. Ahora tenía dos.

Llamé al oficial y le compartí las buenas noticias. No me creyó hasta que lo puse en contacto con mis dos nuevos jefes. Por lo menos ya no tenía pretexto para mandarme de regreso a la prisión.

Ese domingo temprano, John Helstrom y su esposa Kate me recogieron, y fui con ellos a la iglesia por primera vez desde que había entrado a prisión. La iglesia era enorme, con miles de personas de diferentes orígenes étnicos. La predicación, los cantos, el ambiente amoroso y la cálida bienvenida de los amigos de John y Kate tuvieron un fuerte impacto emocional en mí. Todo el dolor, la vergüenza y el sufrimiento de los años pasados se evaporó y dio paso al gozo, la luz y la esperanza del futuro.

Al final, el pastor pidió que los que estuvieran listos para rendir su vida a Cristo pasaran al frente del santuario. Las personas caminaron por los pasillos. Los Helstrom no dijeron nada ni sugirieron que yo lo hiciera. Pero de pronto me puse de pie y pasé al frente. Sentía tan clara la presencia del amor de DIOS que caí de manos y rodillas, llorando sin control, con olas de felicidad y gratitud viniendo sobre mí.

De pronto, sentí que alguien tocaba mi hombro. Un hombre latino de mi edad me ayudó a ponerme de pie. No me hizo preguntas, pero me abrazó y lloramos juntos. Decía: —Hermano, todo va a salir bien. DIOS te ama. Yo te amo. Todo estará bien.

Cuando me tranquilicé un poco, me dijo: —Hermano, voy a orar por ti.

Después de orar, se presentó como José Miranda, uno de los pastores de la iglesia. Desde ese día, José se volvió en una más de la increíble lista de personas que DIOS ha puesto en mi vida para bendecirme. Ha sido un mentor espiritual, un hermano y un gran amigo. Siete años después, fui el padrino en su boda.

Mi experiencia con maravillosos seres humanos como Oscar, Ken, John y José me ha mostrado que DIOS usa personas como instrumentos para impactar las vidas de otros. Quizá a veces solo para un breve encuentro o temporada; en ocasiones, si somos bendecidos y afortunados, puede ser para toda la vida.

# CAPÍTULO VEINTISEIS
# NUEVAS BENDICIONES, NUEVOS RETOS

MI NUEVO HORARIO DE TRABAJO IMPLICABA levantarme a las cuatro de la mañana para tomar dos autobuses y llegar a las nueve a la tienda de suplementos. Trabajaba allí hasta las dos, luego iba al gimnasio para entrenar antes de empezar con mis clientes. Este trabajo se alargaba, así que no me daba tiempo de regresar a nuestra casa de acogida a las siete de la tarde, el toque de queda. Una vez que mi oficial de libertad condicional confirmó que en verdad estaba trabajando, me dio permiso de llegar tarde.

Aún así, este intenso horario era mejor que estar tras las rejas. Unas semanas después, mi amable jefa en la tienda de suplementos decidió que era una pérdida de tiempo trasladarme tres horas, así que empezó a traerme y llevarme. Poco después, me promovieron a una posición de gerencia en el gimnasio. Esto aumentó mis ingresos lo suficiente para comprar un Acura Integra de 1989, rojo y destartalado por novecientos dólares. El tener mi propio medio de transporte me trajo un increíble sentimiento de libertad.

Ya no tenía que despertar tan temprano. Pero había decidido que, con o sin monitor, participaría en una competencia de culturismo en el verano entrante. Así que, me despertaba a las cinco de la mañana para entrenar en el gimnasio antes de mi primer trabajo. Después de mi liberación, logré conseguir un tratamiento para las cicatrices por el acné, así que los espejos ya no me asustaban.

Mi vida entró en una rutina estable: mis dos trabajos, entrenar, asistir a la iglesia con los Helstroms el domingo. En mi tiempo libre, trataba de descifrar el Internet que había revolucionado durante esos tres años que no tuve acceso a una computadora. Me fascinaban los buscadores de Google y Yahoo, que me permitían teclear cualquier pregunta y recibir una respuesta.

Tenía fe absoluta en la visión que DIOS me había dado para mi futuro y llevaba en un fólder los bosquejos y mis ideas de mi «plan de negocios de prisión» adonde fuera. Investigué cómo registrar mi marca Forever Fe, cómo sacar los derechos de autor de mi tira cómica y guion cinematográfico y cómo empezar una línea de ropa. También investigué los cambios de estilo. Los pantalones holgados habían dado paso a pantalones más ajustados y acampanados. Las camisolas largas remplazaban las camisas cortas. Estaban de moda los colores fluorescentes.

En medio de todo esto, me costaba trabajo dejar que la gente se acercara a mí. Cuando la gente lo hace, quiere saber todo sobre ti. Era fácil explicar que mi acento y mis modos eran diferentes pues venía de Los Ángeles. Explicar porqué estaba en Tulsa resultaba más complicado. Cuando finalmente fui sincero con algunos clientes, se comportaron como si tuviera un tipo de infección contagiosa y de inmediato pidieron un nuevo entrenador.

Un incidente en particular me hirió profundamente. Cuando algo de dinero faltó, menos de cien dólares, de inmediato me acusaron de robo. Me dolió profundamente porque pensé que tenía una buena relación con esa persona. Pero también me preocupé porque una acusación falsa podía mandarme de vuelta a la prisión por una violación de mi libertad condicional.

—¡Yo no soy un ladrón! —insistí—. No fui a la prisión por robo.

Justo entonces, alguien más intervino y encontró el dinero faltante, que había sido puesto aparte. Mi acusador se disculpó profusamente y acepté la disculpa. Pero aunque nuestra relación de trabajo continuó, ya no fue igual. Comprendí que sin importar cuán duro trabajara o qué dijera e hiciera, siempre sería etiquetado como un ex presidario. Se trataba de mi nueva realidad.

También me di cuenta que necesitaba aceptarla, incluso abrazarla, y encontrar cómo usarla como un peldaño positivo en lugar de esconderla. Un verdadero líder no pierde el tiempo en el problema sino que se enfoca en la solución. Sin importar nuestros retos u obstáculos en la vida, debemos ver cómo superarlos y tener éxito.

En mi caso, decidí dejar de avergonzarme por mi pasado y mi monitor de tobillo, y usarlos para compartir mi mensaje de Forever Fe. Eso me había llamado DIOS a hacer y si quería ser su representante en el mundo, necesitaba dejar de enfocarme en mi propia imagen.

Esto era crucial ya que justo ese fin de semana tenía la competencia de fisicoculturismo para la que me había preparado los últimos tres meses desde mi liberación. No esperaba ganar. Y no tenía idea de la respuesta que recibiría al estar solo en mis calzoncillos y mi dispositivo de vigilancia en el tobillo. Pero estaba decidido a no dejar que las acusaciones o juicios me desviaran de cumplir este primer gran paso a la visión y misión que DIOS me había dado en prisión.

El día del concurso, salí a escena con un paso confiado y una gran sonrisa. El evento estaba a reventar con casi mil personas. Pude ver a algunas señalando mi monitor de tobillo y burlándose de mí. Pero no dejé que eso me afectara. Terminé en octavo.

Desde ese momento, DIOS abrió una puerta de bendición tras otra. Por cada persona que me odiaba, conocía más gente amable que deseaba darme una segunda oportunidad. Un cliente manejaba varios complejos de viviendas y me ayudó a obtener mi propio y pequeño departamento. Decir adiós a la casa de acogida fue maravilloso.

Sin embargo, esto aún no era la visión que DIOS me había dado del futuro. Me di cuenta que no solo los presos pierden la fe. También algunos la pierden cuando pasan por una tragedia o una crisis. En otras ocasiones, incluso sucede por razones triviales, como no obtener el empleo o el auto por el que han orado.

Algo que aprendí de la manera difícil esos años fue que no solo puedes pedir a DIOS que te quite los problemas o te dé lo que tú quieres. Primero debes preguntar a DIOS cuáles son sus planes para que seas lo mejor que puedes ser. También necesitas motivación personal para salir adelante y ser parte de la solución. Sobre todo, debes mantener la fe. Todo lo que nos da pánico o frustración vendrá y se irá. La fe permanece para siempre.

¿Y cómo dar este mensaje a las personas dolidas y ansiosas que aún no conocía y necesitaban ánimo? Seguía llevando mi «plan de negocios de prisión» al gimnasio y lo había compartido con algunos clientes y empleados. Muchos se burlaban o decían que mi plan no era realista para un ex convicto. Pero alguien vio de inmediato las posibilidades.

—¡Qué bien! —me dijo al ver mis diseños—. En verdad inspiran. ¿Sabes? Mi tía tiene una tienda que hace impresiones en la ropa. Creo que le interesarían.

## « No basta sentarte y decir que tienes fe. Si tienes fe verdadera, te levantarás e irás tras tus metas ».
## —Abe Cruz

Este fue el comienzo de la marca Forever Fe. La tía se impresionó tanto que dio un adelanto de quinientos dólares para la ropa. La vendimos en el gimnasio y tuve suficiente ganancia para pagarle e imprimir más.

Al ver el potencial, llamé a mi hermano David, quien vivía en Los Ángeles. Como con todo hermano, no nos habíamos llevado bien, especialmente en la adolescencia. Pero cuando lo necesité, siempre estuvo allí, principalmente después de mi arresto. Le dije todo lo que había pasado en la prisión, mi ayuno de cuarenta días y la visión que DIOS me había dado del futuro.

—Debes venir a Tulsa —le insistí—. Forever Fe será algo grande que motivará e inspirará a personas y cambiará sus vidas. Quiero que seas parte de esto. Quiero que lo hagamos juntos como hermanos.

David no solo aceptó venir, sino que invirtió algo de su dinero en el proyecto. Compartimos departamento y trabajó conmigo en el gimnasio, lo que nos dio un ingreso estable. Imprimimos nuestro primer grupo de camisetas y las vendimos desde el maletero de mi auto, así como en el gimnasio. A través de un joyero que conocí en el gimnasio, creamos las placas de identidad Forever Fe que el artista de la cárcel dibujó para mi libro de historietas.

Cada producto llevaba el logo de Forever Fe. También creamos nuestras frases de inspiración: *DIOS primero, yo después. Solo Cree. Mentalidad de Campeones. Si no crees en ti mismo, nadie lo hará.* Hicimos una página de Facebook y un sitio web. Pronto, David y yo estábamos trabajando día y noche para surtir pedidos. Traíamos cada impresión al departamento, empacábamos el pedido y corríamos a Staples para enviarlo.

Aprendí en la universidad que si exiges atención la obtendrás. Tampoco había olvidado esos autos deportivos y llamativos que mi líder había conducido alrededor del campus para promover nuestra marca. En cuanto tuvimos ganancias, David logró comprar un hermoso y plateado Mercedes Benz CLK430. Envolvimos ambos lados, incluidas las puertas y las ventanas, con el logo de Forever Fe.

Ahora conducíamos una cartelera andante con un mensaje positivo. Empezamos a recibir órdenes al mayoreo. En un mes, vendimos a siete diferentes tiendas en Oklahoma y a todo el país. Regresábamos las ganancias al floreciente negocio. Ayudaba que yo ya no gastaba en clubes nocturnos y mujeres.

Entonces, un día a principios de diciembre de 2010, un hombre entró al gimnasio. Él sería mi nuevo e increíble mentor y una bendición más de DIOS en mi vida. Era mayor, de cabello blanco, con mi altura, y bastante atlético para su edad. Acercándose al mostrador, preguntó: —¿De quién es el Mercedes allá afuera con el logo de Forever Fe?

La recepcionista señaló en mi dirección. Se acercó y se presentó: —Hola. Soy Fred Bassett.

Dándole la mano, dije: —¿En qué le puedo ayudar?

Como gerente, asumí que tenía preguntas sobre el negocio. Más bien respondió: —Vi tu hermoso auto allá afuera y revisé tu sitio web. ¡Un gran mensaje de inspiración!

Nuestro sitio web era sencillo, así que supuse se refería a mi cita favorita de Jim Rohn que había puesto en el centro: «El servicio más grande a la humanidad es encontrar una manera de servir a muchas personas».

—Tienes una gran marca —continuó Fred—. Me encanta la filosofía y el mensaje de Forever Fe. Pero no encontré un catálogo de ropa en el sitio o cómo hacer una compra en línea. Quiero ofrecer mis servicios como fotógrafo, sin costo.

¡Guau! Mi primera impresión fue que Fred era una persona amable, amorosa y solícita. Y con mucha energía. Esa impresión no ha cambiado y eso es exactamente lo que es, además de un hombre de fe, devoto y piadoso. Sin embargo, en ese momento debo admitir que actué cauteloso con su oferta. Este hombre no sabía nada de mí. ¿Por qué sería tan generoso con un absoluto desconocido? ¿Y qué opinaría cuando descubriera quién era yo en realidad, un ex presidario con un monitor de tobillo?

Por otro lado, habíamos estado buscando un fotógrafo para mejorar nuestro sitio web. Nuestras ventas nacionales surgieron de fotografías de baja resolución en Facebook. No era suficiente si queríamos crecer como una marca.

Supongo que Fred notó mi desconfianza y añadió de inmediato: —Mira, no necesitas decidir ahora. La oferta está en pie si te interesa. Y quiero llevarte a almorzar algún día, para que me cuentes de tu marca y cómo se te ocurrió la idea.

No acepté la invitación de inmediato, pero él volvió al gimnasio casi cada día. Mientras se ejercitaba, lo observé analizando mis interacciones con los clientes y cómo manejaba el lugar. Ahora sé que estaba evaluando mis habilidades con las personas y los negocios. ¿Tenía lo suficiente para lanzar una marca como Forever Fe?

A final de cuentas, fuimos a comer al Rib Crib, un restaurante de carnes al lado del gimnasio. Resultó muy fácil conversar con él, y su amabilidad y compasión hizo que le contara toda mi historia, desde la partida de mi padre hasta mis días tocando fondo, y cómo la cárcel fue una bendición de DIOS que me condujo a Forever Fe.

Cuando terminé, no me juzgó, como yo esperaba. Solo sacudió la cabeza con asombro. —Abe, eres un joven maravilloso. Creo en ti y en tu misión divina. Y quiero ayudar como pueda.

Fred me compartió su propia historia. Su profesión en informática le dio puestos de liderazgo en American Airlines, EDS (Electronic Data Systems), y Saber Holdings por más de tres décadas. También inició tres pequeños negocios. Uno de sus pasatiempos era la fotografía, así que tenía cámaras y otro equipo para hacer fotos profesionales. También era juez en concursos de perros con el club AKC, así como un célebre juez para shows caninos en Asia, Latinoamérica, Europa, Australia y Canadá.

Pero aún con eso, tenía mucho tiempo libre pues ya estaba jubilado. Empezó a hacer preguntas.

—¿Has establecido tu sociedad de responsabilidad limitada? ¿Es Forever Fe una marca registrada? ¿Tienes un número de identificación para declaración de impuestos para poder trabajar con tiendas grandes?

Por supuesto que no tenía nada de eso. Aparte de imprimir la ropa y ofrecerla para venta, no sabía nada de negocios.

—En eso te puedo ayudar —siguió Fred—. Realmente creo que DIOS me trajo aquí para conocerte y me ha dado un tipo de conexión espiritual contigo. Tengo la experiencia de negocios e informática que necesitas. No quiero pasar mis años de jubilación sentado y jugando Sudoku. Quiero hacer algo que hará la diferencia, y me gustaría involucrarme en la misión que DIOS te ha dado. No soy un hombre rico, pero puedo considerar darte ayuda financiera mientras las cosas arrancan. Piensa en mi oferta y hablamos pronto.

Todo sonaba demasiado bien. Con respeto, pero firmeza, le dije: —
Aprecio su oferta. Pero debo orar por la dirección de DIOS y hablar con mi
hermano.

—Lo comprendo y estoy de acuerdo —respondió Fred—. Si cambias de
parecer, llámame. Yo también estaré orando.

Le conté a David sobre la oferta y oramos pidiendo dirección. Entre
más oraba, más veía cómo Fred era lo que necesitábamos para llevar a
Forever Fe al siguiente nivel. Tenia experiencia en negocios y habilidades
informáticas, así como el conocimiento legal que no teníamos. Y no
podíamos crecer sin una seria inversión financiera.

En pocas palabras, le habíamos pedido a DIOS suplir esas necesidades y
DIOS respondió nuestras oraciones. Fred Bassett era la respuesta de DIOS.

Levanté el teléfono y llamé a Fred. Le dije que nos sentíamos honrados
de tenerlo con nosotros. No he tenido ni una razón para lamentar esa
decisión.

En mi camino, he tenido el privilegio de tener muchos grandes hombres
guiándome y dirigiéndome. Pero creo que DIOS trajo a Fred en este
momento en particular por todas las razones correctas. Por primera vez
desde que mi papá biológico me dejó, volví a sentir que tenía un padre
nuevamente, y le llamo Pops hasta hoy.

# CAPÍTULO VEINTISIETE
# EL NACIMIENTO DE UN MOVIMIENTO

MI SOCIEDAD CON POPS PUSO A FOREVER FE en la vía rápida. Él produjo nuestro primer catálogo de mayoreo, que enviamos por correo a los futuros clientes. Nuestra primera compra que cruzó fronteras provino de la ciudad de México, lo que nos hizo oficialmente una marca internacional. Empezamos a recibir pedidos para uniformes y algunos muy grandes para imprimir localmente, así que David regresó a Los Ángeles para poner allí la producción.

Sin embargo, vender ropa, aunque fuera de inspiración, no era la visión que DIOS me había dado. La visión incluía compartir el mensaje de DIOS y servir a otros directamente. Trabajando en el gimnasio me puso en contacto con personas de todo tipo en Tulsa. Al tiempo que conocí a Pops, uno de esos contactos me invitó a hablar a la legislatura estatal de Oklahoma a favor de la rehabilitación de los reos. El discurso a la legislatura el 3 de diciembre de 2010 fue mi primera conferencia pública. Más que eso, me sentí muy honrado en ser la voz para otros convictos que necesitaban ayuda pero no tenían este tipo de oportunidades para comunicar sus circunstancias.

Unos meses después, un líder de la ciudad de Tulsa se topó con la marca Forever Fe en una boutique. Le intrigó tanto el mensaje que me contactó para saber más. Eso llevó a una sesión de fotografías y la historia en primera plana del periódico el Mundo de Tulsa. El encabezado decía:

«Hombre encuentra inspiración en la prisión». El artículo incluía una foto mía ejercitándome con el logo de Forever Fe en mi pecho.

Cien mil copias de ese número se imprimieron y se subió el artículo en línea. Adonde iba, la gente sabía quién era. Esto llevó a más compromisos para conferencias.

Fui a un hogar para chicos con problemas. Estos adolescentes tenían todas las razones para perder su fe. La mayoría había escapado de casa, tenía uno o dos de sus padres en prisión, o jamás habían conocido a sus padres biológicos. Necesitaban saber que alguien se interesaba en ellos. Así que en tanto me enfocaba en ayudarles a entender la importancia de tomar las decisiones correctas, también les compartí lo que había aprendido tocando fondo, y que tenían un Padre celestial que siempre los amaría y jamás los abandonaría.

Como marca, también participamos en recolectar fondos para la leucemia, patrocinados por un equipo local de baile, así como otros alcances comunitarios. Todo esto quitaba tiempo de mi trabajo en el gimnasio. Ahora, David estaba en Los Ángeles, reuniéndose con los fabricantes y asociándose para extender nuestra línea de ropa en el distrito de moda de Los Ángeles. Pops continuaba siendo la roca de nuestra creciente empresa. Un día sugirió que me mudara con él y su esposa para que pudiera renunciar a mi trabajo y no me preocupara por la renta mientras hacíamos crecer Forever Fe.

Janet es una persona increíble, amable y amorosa. Permitir que un ex presidario que apenas conocía viviera en su hogar debió ser la idea más loca de su vida. Pero oró sobre el tema y ese domingo en la iglesia, los textos bíblicos y el mensaje giraban alrededor del tema de la confianza y el perdón. Regresó a casa y le dijo a Pops que DIOS le había dado una respuesta. Desde el primer día que me mudé, ambos me trataron como a un hijo. Siempre serán mis segundos padres.

En ese tiempo, David estaba haciendo crecer nuestro negocio de ropa en Los Ángeles. Empezamos a producir conjuntos de pants, sudaderas, uniformes para equipos, todo tipo de ropa deportiva, así como bolsos. Un día recibí una llamada de un productor de televisión en Hollywood.

—¡Oye, Abe! He oído cómo saliste de la cárcel y has podido transformar tu pesadilla en un sueño hecho realidad. Quisiéramos que consideraras venir a nuestro programa, Casamentero Millonario, para contar tu historia. Nos interesa en especial que dos hermanos traigan un mensaje positivo de la fe cristiana al mundo.

¡Otra sorpresa! Este programa, en inglés Millionaire Matchmaker, era un reality cuya anfitriona, una casamentera llamada Patti Stenger, ayudaba a solteros y solteras millonarios a encontrar la pareja de sus sueños. No me interesaba una relación, en parte porque estaba seguro que ya había encontrado a la chica de mis sueños, como verás más adelante, pero el show me daría otra oportunidad de compartir el mensaje de Forever Fe, esta vez a millones de televidentes. David tenía su propia historia para contar, así que hacer el programa juntos era una oportunidad muy grande.

Llamé a David para darle las buenas noticias. Pero había olvidado un detalle crucial. Aún traía el monitor de tobillo y me prohibían salir de Oklahoma. Tal como lo predije, cuando hablé con mi oficial de libertad condicional sobre el prospecto de viajar a Los Ángeles para grabar el episodio, me dio un rotundo no. Como la primera vez, me dejó claro que pensaba que solo mentía para escapar de mi período de prueba.

Esta vez supe que debía ser firme. Un punto importante en la rehabilitación del ex presidiario es que pueda volverse un miembro útil y exitoso de la sociedad. Este programa era un fuerte empujón para mi negocio y mi futuro, así que el oficial no tenía derecho a negármelo. Aún más, esta oferta era salida de la visión que había recibido en prisión, así que provenía de DIOS.

Requirió un abogado, varios meses y pruebas del productor sobre la legitimidad del compromiso, pero a principios de verano, Pops y yo manejamos a la oficina de libertad condicional para mi última foto policial y para entregar el monitor de tobillo. Ahora era libre para viajar por el mundo mientras me mantuviera lejos de problemas. *¡Gracias, Padre DIOS!*

Lo mejor de la libertad para viajar fue ver a mi mamá otra vez. Aunque hablábamos por teléfono todo el tiempo, no la había visto en persona desde que estuvo a mi lado cuando me entregué, así que resultó una reunión muy emotiva.

Reconectar con Oscar Cepeida y su familia fue también muy emotivo. Aunque sabía cuán decepcionado había estado Oscar ante mis malas elecciones, también sabía que no había dejado de orar por mí y de creer en mí. Como el amoroso padre en la parábola que Jesús contó sobre el hijo pródigo (Lucas 15:11-32), me recibió con los brazos abiertos, me perdonó y sigue siendo uno de mis amigos más cercanos y fuertes.

Ahora, en lugar de que David viviera conmigo en Tulsa, yo vivía con él en Los Ángeles mientras grabábamos Casamentero Millonario. Pero no era lo único que hacíamos. Ya que ni David ni yo teníamos experiencia en lanzar una línea de ropa, Pops continuaba siendo nuestro mentor y a quien acudíamos con cualquier tema, problema o pregunta. Con su consejo, nos asociamos con una fábrica internacional de ropa basada en Los Ángeles.

## «Si en tu corazón, mente, alma y espíritu haces todo en la mejor manera que puedas, entonces eres un campeón».
## —Abe Cruz

Al estar en Los Ángeles podía contactar a atletas profesionales, entrenadores, escuelas, productores y agentes con quienes había modelado y actuado en el pasado. Tuvimos una lista de atletas profesionales luciendo ropa de Forever Fe, incluyendo estrellas de la NFL, como Shareece Wright, Allen Bradford, Eric Dickerson, Anthony Miller, Christian Okoye, Vince Ferragamo y el medallista olímpico Ron Brown.

También daba conferencias en reuniones de preparatoria. Filmé un documental llamado Moda y Cultura en Los Ángeles, que incluía la participación de los desprotegidos patrocinados por Forever Fe. Ahora patrocinábamos docenas de programas juveniles deportivos desde fútbol hasta baloncesto, compensando así todos los programas que ayudaron a iniciar mi propia carrera atlética en la niñez. Entre las muchas escuelas que lucían uniformes de Forever Fe estaba mi alma mater, San Pablo. También financiamos un día de arte infantil. Salí en entrevistas en programas radiales e incluso en los premios musicales MTV.

El episodio de Casamentero Millonario salió al aire en octubre de 2011. Aunque ninguno de los dos encontramos a nuestras almas gemelas, fue una gran experiencia para David y para mí. Recibí mucho consejo práctico de Patti Stenger. Además, el episodio fue uno de los de mayor índice de audiencia en sus siete temporadas y generalmente aún se puede ver en repeticiones.

Y tal como lo anticipé cuando lidié con el oficial de libertad condicional para obtener esta oportunidad, el programa abrió puertas para cumplir con cada uno de los otros aspectos de la visión que DIOS me había dado en prisión. David y yo fuimos bombardeados con correos de fans y otras oportunidades. Rápidamente vimos que no todas las oportunidades eran buenas. Pops, con su sabiduría, experiencia y habilidad para evaluar a las personas, nos ayudó a ser prudentes.

Un día, Pops detectó un correo del mundialmente famoso fotógrafo deportivo, Noel Daganta. Él ha hecho portadas y artículos principales de las revistas más grandes del mundo del deporte. Noel estaba interesado en una sesión de fotos conmigo, así como artículos sobre mis rutinas de ejercicios, incluyendo mi entrenamiento con las bolsas de agua que desarrollé en prisión. Gracias a Noel, me encontré en la portada y los artículos de *Iron Man, Muscle and Fitness USA, Physique, Firm and Fitness Canada, GNC Muscle & Body, Men's Fitness, Men's Health* y otras. Una vez más, DIOS cumplía la visión que me había mostrado en la cárcel.

Entonces un amigo me presentó a la estrella de la NFL, Ron Brown, conocido como el hombre más rápido, pues ganó la medalla de oro en la pista en 1984. A pesar de su fama, Ron es muy humilde, tranquilo y afectuoso. Al haber crecido en un barrio pobre de Los Ángeles, entendió los obstáculos que atravesé y le emocionó el mensaje de Forever Fe.

Ron Brown a su vez me presentó a su buen amigo de la NFL del salón de la fama Eric Dickerson. Como un comprometido cristiano, Eric estableció la Fundación Eric Dickerson, que busca influenciar de manera positiva a los jóvenes en riesgo a través de los deportes, la educación y el liderazgo. Cada año, su fundación financia un número de campamentos juveniles deportivos en el país, incluyendo el Campamento Pendleton en San Diego.

A través de Ron y Eric, Forever Fe pudo asociarse con la fundación para crear las camisetas y mochilas para el campamento. Fue un sueño hecho realidad ver a esos jóvenes atletas y varios jugadores de la NFL, voluntarios en el campamento, usando ropa de Forever Fe. Las organizaciones de voluntarios como estas tuvieron tal impacto en mi niñez, que me llenó de gozo completar el círculo al ayudar a una nueva generación de jóvenes para perseguir sus sueños.

Unos días después del campamento, recibimos una invitación para vestir a Evander Holyfield, el ocho veces campeón de box, para una sesión de fotos. Al igual que Eric Dickerson, Evander es un devoto cristiano y una persona muy humilde y amable. También me sentí bendecido al pasar tiempo con él y escuchar su historia,  así como compartir la historia de Forever Fe. Terminamos proporcionando la ropa para una segunda sesión de fotos de los hijos de Evander.

Entonces, de la nada, recibí una llamada de Ron Brown.

—Oye, Abe, voy rumbo a tu oficina, pero voy tarde. Un amigo mío, Deebo, también va a ir. Debe estar por llegar.

No lo podía creer.

—¿Deebo? ¿Quieres decir el actor de *Viernes* y el *Quinto Elemento*? ¿El Zeus de la lucha libre de la WWF, Deebo?

—Sí, así es. Pero dile Tiny. Es un buen amigo. Le conté sobre Forever Fe y quiere conocerte. Es un gran creyente y tiene un poderoso testimonio de su caminar con DIOS. Entretenlo mientras llego.

Tom "Tiny" Lister fue un gran nombre en la lucha libre profesional en los noventas, que lo llevó a una exitosa carrera de actuación. Nació ciego de su ojo derecho y pensó que su defecto de nacimiento era una maldición de DIOS hasta que DIOS le mostró qué bendición había sido pues lo mantuvo lejos de una vida de pandillero y moldeó su carrera de actuación. Tiny Lister tiene un poderoso ministerio con jóvenes urbanos y habla en televisión, radio, iglesias y otros eventos de fe.

Como su fan, estaba bastante nervioso. Salí justo cuando un Range Rover negro con rines de veintidós pulgadas se detenía frente a la puerta. El hombre que salió era lo opuesto a su apodo, con 1,95 metros y ciento treinta kilos. De inmediato congeniamos. Compartí la historia de Forever Fe y cómo la prisión había sido la mayor bendición de mi vida. Él creció en Compton, una comunidad del sur de Los Ángeles con el índice más alto de crimen en California, notable por la violencia de pandillas entre los Bloods y Crips, así que se identificó con mis experiencias.

Cuando vio la portada en la revista *Iron Man* sobre mi escritorio, la tomó y dijo: —¿Eres tú?

—Sí, señor —respondí. Le dije cómo una de las visiones de prisión además de discursos, revistas y diseño de ropa, incluía la actuación.

—¡Ya veo! —dijo de inmediato—. Te pondré en unas películas.

Mantuvo su palabra. Tiny alguna vez compartió una cita de la Biblia sobre DIOS restaurando los años perdidos cuando nos arrepentimos y volvemos a él (Joel 2:25). Creo en ello porque he visto a DIOS trabajando en mi vida para redimir y restaurar esos años que desperdicié desde el primer día de mi sentencia cuando ese guardia me aseguró en español: —Todo va estar bien. Dios está contigo.

Mi «plan de negocios de prisión» se iba haciendo realidad con tal rapidez que sentía que iba con el botón para adelantar. Quizá parecía así porque la vida en prisión había sido tan lenta. Tenía recuerdos de esos años perdidos en las fiestas de la mansión Playboy, los clubes, Las Vegas. Aquí estábamos cinco años después y menos de dos años desde salir de prisión, y todas las visiones que DIOS me había dado se hacían realidad.

Pero no había olvidado mi voto a DIOS. A cambio de una segunda oportunidad, yo viviría para ponerlo en primer lugar. Cada vez que una nueva parte de mi visión se realizaba, oraba que DIOS me mantuviera en el camino correcto. Sabía que no podría continuar mi misión y recibir la bendición de DIOS si me dejaba atrapar otra vez por mujeres, fiestas, dinero y todas las otras distracciones que me controlaron en el pasado.

Con toda la locura y atención, le pedí a Pops que me mantuviera vigilado y me dejara ver si me desviaba de mi misión. Me sentí, y aún me siento, agradecido por tener a Pops en mi vida. No solo ha sido mi socio, sino mi amigo, consejero y ángel guardián. DIOS lo envió para guiarme y ser mi mentor.

Entonces un día recibí la llamada que re-dirigiría mi vida en una nueva dirección y me cambiaría para siempre.

# CAPÍTULO VEINTIOCHO
## EL AMOR DE MI VIDA

Poco después que conocí a Pops, la mujer más increíble que he conocido entró a mi lugar de mi trabajo y a mi vida. Con procedencia de Asia Central, era delgada, hermosa, menuda, con cabello negro, largo y sedoso, ojos grandes y oscuros, y una sonrisa que te roba el aliento.

Aunque tenía buena condición física, quería mejorar su salud, así que compró un paquete de entrenamiento personal. Al comenzar a entrenar juntos, se mantenía tranquila y reservada, siempre profesional y sin coqueteo. Y créeme que con una sonrisa así, ¡lo intenté!

De mi parte, jamás me había sentido tan inseguro. En mis veintes, antes de ir a prisión, me sentía como un donjuan, siempre con chicas guapas del brazo, aventando dinero para impresionarlas. Mi único otro intento de una relación seria había terminado con un corazón roto. Y, por supuesto, no había estado alrededor de mujeres durante varios años. Por lo que, a pesar de todo lo que DIOS me había enseñado en prisión, en esta área aún estaba bastante inmaduro. Podía ver que ella estaba fuera de mi alcance, pero deseaba conocerla.

Lentamente, con el paso de las semanas, mientras trabajábamos juntos, ella comenzó a abrirse. Le conté sobre mi familia y dónde nací y crecí. Ella me contó sobre su inmigración a los Estados Unidos durante su adolescencia y cómo algunos de sus parientes levantaron un exitoso negocio local. El que aprendiera inglés fluido y gramaticalmente correcto, comprobó que su alto intelecto y su ética laboral compaginaban con su belleza.

Entonces, un día, en medio del entrenamiento, me preguntó si me gustaría salir con ella después de la sesión. Me quedé congelado. ¡Por supuesto que quería salir con ella! ¿Qué tipo en el planeta no lo querría? Pero aún no le contaba sobre mi monitor en el tobillo o que tenía que correr a casa después del trabajo pues estaba bajo toque de queda. Sonrojado, tartamudeé que estaba muy ocupado por el momento. Quizá en otra ocasión.

Noté que mis excusas la herían. Cuando ella no programó la siguiente sesión, temí que mi extraño comportamiento la hubiera alejado. Entonces, un día, de la nada, recibí un mensaje de texto. Decía: «Creo que me gusta mi entrenador».

Asombrado, miré el mensaje. ¿Era para mí o se lo había enviado a la persona incorrecta? Finalmente le escribí, tratando de sonar casual: «Ja, ja. ¿Es esto para mí?»

De inmediato respondió: «Ja, ja. Lo siento tanto. El mensaje era para una amiga».

Equivocación o no, sus palabras me llevaron hasta la luna. Respondí: «No te preocupes. ¿Cuándo vienes a entrenar?»

Acordamos en un horario para el día siguiente. Cuando llegó, le compartí sobre mi monitor de tobillo, mi tiempo en prisión y mi toque de queda. No me juzgó en absoluto sino que me aceptó como la persona que había conocido en las semanas pasadas. Entonces le pregunté si aceptaría salir conmigo el siguiente viernes cuando mi horario pudiera acomodarse con mi toque de queda. Me emocioné cuando aceptó.

El viernes temprano fue como despertar a un día de campeonato. Emocionado y con anticipación, le escribí: «Que tengas un buen día. Feliz de verte para cenar».

Ella respondió con una carita sonriente. Después del trabajo, mientras me alistaba para nuestra cita, recibí otro mensaje. Mis emociones se desplomaron. *Sabía que era demasiado bueno. Me va a cancelar.*

Pero el mensaje me sorprendió más que una cancelación. «No puedo encontrar una niñera para mi hijo. Tendré que cancelar».

Mi corazón se detuvo, luego se me cayó a los pies. ¿Su hijo? Nunca había mencionado un hijo. ¿Cuántos años tenía? ¿Dónde estaba su padre?

Emociones y recuerdos de mi niñez me inundaron. Mi padre gritando, aullando, rompiendo un vidrio mientras mi mamá lloraba y yo me ocultaba debajo del sofá. Mi padre desapareciendo a mis cuatro años, para no contactarme de nuevo. No sabía nada sobre ser un padre porque nunca había tenido uno. Solo quería tener una cita agradable con una mujer atractiva. A los veintinueve años, la última cosa en mi radar consistía en asumir la responsabilidad ¡del hijo de otro!

Luego me pegó mi egoísmo. Después de todo, mi mamá había sido una madre soltera, en la misma posición. Y, si mi padre nos había abandonado, DIOS había enviado figuras paternas para bendecir mi vida. Vi cómo Oscar y otros trataban a sus hijos. Cómo me trataban a mí aún cuando no era su hijo biológico. Le había pedido a DIOS una segunda oportunidad. ¿Qué tipo de hombre era si no estaba dispuesto a darle a una madre soltera y a su hijo una oportunidad?

Le respondí: «No hay problema. Trae a tu hijo. Me encantaría conocerlo».

## «Si pones a DIOS primero, te convertirás automáticamente en la mejor versión de ti mismo». —Abe Cruz

Ese fue el primer paso en mi crecimiento emocional. Me vi con esta maravillosa mujer y su hijo en un restaurante de carnes. Él iba para los ocho años y era la Estrella en el mundo de ella, tal como David y yo lo fuimos para mi madre. Como ella, era tranquilo y reservado, extremadamente inteligente, y bien educado.

Durante la cena, los tres nos relajamos y hablamos. El padre de este pequeño los había dejado justo en la misma edad que el mío me abandonó. Cuando le compartí cómo había crecido sin un padre, conseguí su total atención.

Le expliqué cómo su mamá era como mi mamá: una súper mamá cuidándolo. Luego me vi a mí mismo dispuesto a darle la misma seguridad que Oscar me transmitió en el pasado: «No te preocupes. Tu mamá te ama con todo el corazón, y todo va a estar bien. Solo asegúrate de siempre amar, respetar y proteger a tu mamá».

Desde este punto, ya no se trató de Abe Cruz saliendo con una hermosa mujer, sino de ser parte del camino de dos personas muy especiales. Era un paquete completo, y si yo quería parte de su vida, lo sería también de su hijo. Me hizo pensar en mi propio padre. En el padre de este niño.

*¿Cómo puede un hombre dejar atrás a alguien que creó? ¿Cómo puede un hombre abandonar a su propia sangre?*

¡En especial a un gran chico como ese! Estaba seguro que había encontrado al amor de mi vida, lo que ocurre solo una vez en la vida. Pero aún vivía de modo acelerado, tratando de enfocarme para que la marca de Forever Fe despegara, cumpliendo mi «plan de negocios de prisión», dando charlas y con compromisos en los medios, lo que incluía mudarme de regreso a Los Ángeles y filmar el episodio de Casamentero Millonario.

Le dije a Honey, como le empecé a llamar, que tarde o temprano me iría a Los Ángeles. Ella comprendió y me apoyó totalmente a seguir mis sueños. Poco después de nuestra cita, me dieron la luz verde para remover mi monitor de tobillo y viajar a Los Ángeles. Al principio, ambos pensamos que sería por un corto tiempo, lo suficiente para grabar el programa y arrancar la nueva sociedad. Pero luego, el éxito de Forever Fe se convirtió en una bola de nieve.

Tuve que admitir: —No sé cuándo volveré. Pero creo que tomará un tiempo.

Poco después, Honey me llamó: —Mira, te extraño. Quiero pasar tiempo contigo, sin importar lo que pase. Si compro mi boleto de avión para visitarte, ¿puedes hacer tiempo para que estemos juntos?

Me quedé un poco asombrado ante su oferta. La última mujer de la que creí estar enamorado, rompió conmigo porque no tenía suficiente dinero para mantener el estilo de vida al que se sentía con derecho. Sabía que Honey no tenía muchos ingresos y tenía un hijo al que criar. Que le importara yo lo suficiente para sacrificarse y pasar tiempo conmigo me conmovió profundamente. También me hizo pensar que quizá ella comenzaba a amarme un poquito. Yo ya estaba loco por ella.

Honey vino a visitarme y pasamos unos días maravillosos. Al final de su visita, supe que era el amor de mi vida. Pero su hijo, su trabajo y su vida estaban en Oklahoma. La mía estaba en Los Ángeles. Cuando lográbamos unos días libres, volaba a Oklahoma para verla o ella venía para verme. Pero aún cuando mi vida avanzaba con rapidez, nuestro tiempo juntos no era lo suficiente para construir una relación sólida.

Entonces un día, al ir manejando a un compromiso en el centro de Los Ángeles, su nombre apareció en el identificador de llamadas y contesté: —¡Hola, hermosa! ¿Cómo estás?

Cuando vi su rostro sin su típica sonrisa, supe que algo andaba mal. Pregunté: —¿Estás bien, Honey?

En una voz suave y baja respondió: —Amor, estoy embarazada.

Me congelé, literalmente me quedé mudo. No quería creer lo que oía. Apenas estaba listo para salir con una madre soltera con un hijo. ¡Por supuesto que no estaba listo para ser un papá! Además, cada dólar que tenía era para arrancar la línea de ropa. ¿Cómo iba a mantener un hijo, y aún más, a una familia de cuatro? Y estar atado a una familia no era como yo visualizaba mi futuro fuera de prisión.

Honey podía ver mi reacción. Finalmente, logré decir: —¡No! No podemos tener un hijo ahora.

Creo que no usé la palabra aborto, pero ella sabía que lo estaba sugiriendo. Sin otra palabra, colgó. Destrozado y sin poder pensar con claridad, manejé de regreso a casa. Toda la noche di vueltas, tratando de verme como un padre. La verdad es que no quería la responsabilidad. Había perdido gran parte de mi juventud encerrado. Por fin estaba empezando a disfrutar una vida nueva como un hombre joven y soltero. Quizá después estaría listo para una esposa y una familia, ¡pero no ahora!

Honey tampoco dormía, pues me escribió a media noche. No se contuvo. Había estado tan segura que yo era un hombre amable, amoroso y gentil que hablaba de fe y de DIOS. Que yo sugiriera deshacerme del niño le mostraba que era un hipócrita y que se había equivocado respecto a mí.

No pude discutir ya que comprendía su punto de vista. Estaba siendo un patán, egoísta e inconsiderado. También estaba actuando como el padre patán que juré nunca ser. Cuando conocí al hijo de Honey, me pregunté cómo alguien abandonaría a su propia sangre, un niño que él mismo había creado. Y aquí estaba yo pensando en algo peor: destruir a mi propio hijo a cambio de mi propia conveniencia y libertad. Ni siquiera mi padre biológico había caído tan bajo.

A la mañana siguiente, vi a Pops en el gimnasio. Le conté lo que sucedía. Pops me dijo que me tranquilizara.

—Mira, Abraham, un hijo es una bendición de DIOS. Te amo como a un hijo y una de las principales razones por las que he elegido trabajar contigo es porque creo que eres un gran hombre con un gran corazón. Quizá el momento no es lo mejor para tus planes. Pero ya nos ajustaremos. DIOS estará contigo como lo ha estado en todo lo demás.

Justo allí, Pops y yo oramos juntos y pedimos la guía de DIOS. Luego llamé a Honey, le pedí perdón por mi respuesta inicial y me comprometí a estar allí para ella y nuestro hijo. Todavía estaba en modo pánico, pero también me emocionaba tener a mi primer hijo y hacer lo que los buenos padres hacen por sus hijos. Todo lo que Ken, Oscar, John Helstrom, Pops y otros hicieron por mí.

Además, ¿cómo podría hablar sobre el mensaje que DIOS me había dado, todo lo que me representaba —la fe, una mentalidad de campeón, primero DIOS, luego otros, solo cree— si abandonaba a mi propio hijo? ¡Sería el más grande hipócrita de todos los tiempos!

Pops tenía razón. Sin importar nuestro estatus financiero, sin importar los retos, estaríamos bien. Aún más, ¿no había DIOS mostrado su fidelidad una y otra vez cada paso del camino? Ahora enviaba una bendición más a mi vida. Sería un padre.

Mi hermosa esposa y yo hemos estado juntos casi una década. Nuestro hermoso hijo nació en la primavera del 2012 en Tulsa, Oklahoma. Estoy seguro que ustedes, padres, pueden entender la confusión, el miedo, la emoción y el gozo de cargar a tu hijo por primera vez. Pops fue la primera visita en el hospital. Nuestro hijo mayor cumplió nueve años el mismo mes y estaba feliz de recibir a su nuevo hermano.

Ahora tenía una familia de cuatro.

# CAPÍTULO VEINTINUEVE
# MENTE DE CAMPEÓN

DURANTE LOS SIGUIENTES AÑOS, HONEY y mis dos hijos se unieron a mí en Los Ángeles. La línea de ropa Forever Fe continuó creciendo en ventas en más de veinte países. Jóvenes de programas comunitarios, escuelas élites de preparatoria, clubes deportivos latinoamericanos e incluso estrellas de películas de Disney usaban la ropa de Forever Fe, así como celebridades deportivas, estrellas de la lucha libre profesional, cantantes famosos y un número creciente de atletas de la NFL y la NBA. Forever Fe patrocinó una campaña contra el acoso escolar y proveyó camisetas para el evento que decían: «Levántate, Habla, Termina el Acoso».

Me convertí en un nombre de fitness por mérito propio. Gané diversas competencias; di entrevistas en televisión, radio, medios impresos y en línea sobre mis rutinas de entrenamiento y nutrición, incluso en el show nocturno de Jay Leno. Y ya que soy bilingüe, también compartí mi historia en redes de televisión como Telemundo, una de las cadenas televisivas más grandes del planeta, y Mundo Fox, la filial de la compañía televisiva de Fox. También grabé algunos episodios cómicos con Tiny Lister, así como un video musical y un documental.

Junto con Pops, Honey ha sido mi mayor apoyo en todo esto. Me ha ayudado a crecer como hombre. He amado ser un padre y criar a nuestros dos hijos a su lado. Incluso el momento del embarazo fue una bendición de DIOS. Las mujeres atractivas y disponibles son parte del mundo del entretenimiento y del modelaje en el que empecé a vivir. Con mis antecedentes en cuanto a mujeres, quién sabe si hubiera podido mantenerme firme contra la tentación sin mi hermosa esposa y mis hijos para mantenerme bien ubicado.

Todo en mi visión de la cárcel empezaba a volverse realidad. De una celda de prisión de diez-por-diez pasé a un departamento de una habitación y luego a una fábrica para producir la marca Forever Fe. Mientras mantuviera la fe y permaneciera fiel a mis promesas, creí que nada me derribaría.

Nuevamente me equivoqué. Para resumirlo, nuestros socios de producción cometieron graves equivocaciones que les trajeron un buen número de demandas. Sus problemas se desbordaron y, de repente, nosotros también nos hallamos enfrentando una demanda. Por lo tanto, tuvimos que detener la producción hasta que se llegara a una acuerdo.

Se trató de un fuerte contratiempo, especialmente porque no se trataba solo de mí. Ahora tenia una familia que mantener. Pero no me derrumbé como lo hubiera hecho años atrás, quizá porque confié que DIOS estaba obrando en mi vida y comprendí que los tiempos difíciles son la preparación para una oportunidad futura. Recuerdo orar a DIOS al enterarme de la demanda y pedir: «Por favor, DIOS Padre, arregla esto y danos una segunda oportunidad. Bendícenos en esta demanda para que podamos bendecir a otros».

Entonces me di cuenta cuán tonto sonaba porque DIOS Padre ya me había dado una segunda oportunidad y estaba viviendo las abundantes bendiciones que me había otorgado. Libertad. Una hermosa esposa y una familia. Mentores como Pops. Comida en la mesa y un techo sobre mi cabeza.

Mientras había estado construyendo la marca de Forever Fe, le pregunté a Pops: —¿Por qué DIOS nos bendice con un negocio multimillonario?

Después de todo, no merecía tal bendición. Sí, trabajé duro e hice mi parte. Esa es la mentalidad de un campeón. Pero que mi visión en la prisión se hiciera realidad era obra de DIOS, no mía. Si DIOS podía bendecirme con tanto, entonces también era lógico que enviaría retos para ver si yo mantendría la fe aún cuando los contratiempos llegaran, no solo cuando todo marchara bien.

Esto también está en la Biblia. DIOS probó a Job. A José. A Moisés. Al rey David. A mi tocayo Abraham. Incluso a Jesús. Todos pasaron por pruebas de fe mientras servían a DIOS. Entonces, ¿quién era yo para pensar que no debía enfrentar las pruebas así como las bendiciones? ¿Cómo podía esperar que DIOS continuara bendiciendo el futuro si me iba a desmoronar y rendir ante cada obstáculo que apareciera?

—No fallamos esta vez —le dije a Pops—. No hicimos nada mal ni tomamos decisiones malas. De hecho, hemos visto a DIOS hacer cosas increíbles. Así que no le daré el crédito al diablo por este nuevo contratiempo. Tendré fe de que esto también es de DIOS y parte de su plan para esta travesía.

## «Un verdadero líder no pierde el tiempo en el problema sino que se enfoca en la solución».
## —Abe Cruz

Después de mucha oración, decidimos reagruparnos de nuevo en Tulsa donde Pops y Honey tenían parientes y los costos de vida eran menores. Scott Matlock, quien se arriesgó conmigo cuando salí de la prisión, me contrató de nuevo en el gimnasio sin hacer preguntas. Honey regresó a su anterior empleo, el que eventualmente creció hasta ser el exitoso e independiente negocio que es hoy. También encontré trabajo manejando para UBER. Todo el tiempo, seguía trabajando con mi equipo de Forever Fe en la demanda y nuevas oportunidades.

Pronto me di cuenta que ir a Tulsa fue bueno. Después del acelerado paso de Los Ángeles, ahora teníamos tiempo como pareja y en familia. Podía llevar a nuestro hijo menor a la escuela cada mañana y recogerlo por la tarde. Podía pasar tiempo con mi hijo mayor, un adolescente con solo unos años más en casa. Aunque estábamos apretados en las finanzas, DIOS siempre proveyó para pagar los gastos. También me pude reconectar con viejos amigos, incluyendo a José Miranda.

Pero también sabía que esto no era todo lo que DIOS tenía para nosotros. Quizá la línea de ropa estuviera en pausa. Pero Forever Fe no es ni sería solo una línea de ropa. Es un mensaje. Una mentalidad. Y ningún pleito legal puede detenerla.

Unos meses después de nuestro regreso, recibí una llamada telefónica de una compañía de suplementos nutricionales interesada en que representara su producto. Probé el producto, un gel tópico para el entrenamiento llamado TC1, y me encantó. Me llevaron a Los Ángeles para filmar un comercial y terminé representándolos por los siguientes tres años.

Un mes después, recibí una invitación para ser el co-anfitrión de un segmento de fitness para un nuevo show latino de televisión, "The Trend Talk", conducido por las periodistas, presentadoras de noticas y productoras Bel Hernández y Naibe Reynoso. Este proyecto me llevó a más entrevistas, eventos de fitness y oportunidades, como un segmento fitness en "Fuerza TV", un canal de televisión en español en el área de Tulsa, y un programa de entrevistas con el productor —ganador del Emmy—, y conferencista motivacional Corey D. Taylor. Continué hablando en tanto DIOS abría puertas en escuelas, iglesias y programas deportivos.

Luego, en 2019, recibí una invitación para participar en Exatlón, el reality show más famoso de Telemundo que llega a millones de televidentes en América del Norte, México, y a través del mundo de habla-hispana. El programa pone a celebridades deportivas y de condición física, el equipo de los *Famosos*, contra el equipo de atletas civiles de alto nivel, el equipo de los *Contendientes*. Ambos participan en concursos eliminatorios de diversos retos físicos y mentales. Las diferentes competencias toman lugar en distintos países de Latinoamérica. En el que yo participé había personas de Estados Unidos.

Pasé dos mese en el equipo de *Famosos* antes que llegara mi turno de ser eliminado. Muchas veces durante las entrevistas y en conversaciones con mis compañeros de equipo, pude compartir mi historia de la prisión a la transformación, dando la gloria a DIOS. Ganara o perdiera, reconocí que esta experiencia en sí misma cumplía la visión que recibí en la cárcel sobre compartir el amor de DIOS con millones de personas de todos tipos de caminos, regiones del mundo y edades.

Solo quedaban dos elementos principales de mi visión que aún no se llevaban a cabo: escribir un libro y hacer una película que contara mi historia. A través de José Miranda, conocí a Jim Spargur, un hombre de negocios globales, muy exitoso y amigo cercano de la industria del cine que ha ayudado a producir y distribuir muchas películas galardonadas y basadas en la fe como *Si solo pudiera imaginar, Soul surfer: alma surfera, El final del espíritu* y *El Progreso del peregrino.* Al igual que Pops, vio un gran potencial en el mensaje de Forever Fe y se ha unido a mi equipo de socios y mentores. Una película de Forever Fe está en proceso. En cuanto al libro, lo tienes ahora en tus manos.

El 2 de abril de 2019, después de tres largos años de acciones legales y repetidas apelaciones, en menos de un día el juez desestimó la demanda contra Forever Fe por carencia de mérito. Ahora poseemos la marca Forever Fe con la libertad de re-lanzarla.

Por lo tanto, ¿qué significa esto y que trae consigo el futuro? ¡No tengo idea! Lo que he aprendido en este tiempo es que Forever Fe no es una marca o un producto. No es solo vender ropa, aún sea de inspiración, o salir en la tele o tener otros éxitos profesionales. Se trata de permanecer fiel a la misión que DIOS me ha dado mientras estaba postrado en una celda. Se trata de compartir el amor y el mensaje de DIOS a donde vaya y en lo que DIOS tenga para mí después.

# EPILOGO
# ¡SOLO CREE!

EN ESTE MOMENTO, SENTADO EN MI CASA de tres habitaciones provista por DIOS para mi hermosa esposa, mis dos hijos y para mí en Tulsa, Oklahoma, me doy cuenta que he sido bendecido. Estoy muy agradecido por todo lo que tengo y por dónde DIOS me ha traído. Sea lo que traiga el futuro, mi oración más profunda es que pueda continuar impactando las vidas que DIOS ponga en mi camino en una forma positiva y poderosa. Mientras el mensaje central de Forever Fe se extienda, eso es lo que cuenta.

Y todavía tengo fe absoluta que DIOS tiene un futuro grande, brillante, lleno de propósito y bendecido por él. Lo sé porque cada vez que una puerta se ha cerrado, he visto a DIOS abrir diez más. ¡Tal como un Padre amoroso!

¿Qué más he aprendido en este peregrinaje? He aprendido que el fracaso y las caídas no son el fin sino el principio de una nueva misión.

He aprendido que lo imposible se vuelve posible con fe.

He aprendido que puedes crecer sin un padre y en pobreza, con todos los pronósticos en tu contra e incluso ser un ex convicto, pero cuando te aferras a la fe, serás un ganador en cualquier tarea que se te asigne.

He aprendido que cuando te sientes débil, debes buscar en lo profundo de tu interior y encontrar la fortaleza interna y la motivación de no renunciar, sin importar cuánto deseas rendirte.

También he aprendido que no basta sentarte y decir que tienes fe. Como la Biblia dice, la fe sin obras es muerta. Si tienes fe verdadera, te levantarás e irás tras tus metas. Trabajarás duro. Te sacrificarás, mostrarás dedicación y cumplirás con tus compromisos. También practicarás los principios de un verdadero campeón y tratarás a otros como deseas que te traten, haciendo por otros lo que Jesús haría.

Si sigues estas pautas, si en tu corazón, mente, alma y espíritu haces todo de la mejor manera posible, entonces eres un ganador. Eres un campeón. No importa si pierdes un partido, una oportunidad de empleo o un logro profesional. En la vida no hay un marcador. Quizá perdamos un día, pero mañana tendremos la oportunidad de jugar otra vez.

« Si tenemos una fe no más grande que una semilla de mostaza, podemos mover montañas. ¡Imagina lo que la fe del tamaño de una montaña puede hacer! ».
—Abe Cruz

El mensaje de Forever Fe no es para el pesimista sino para el optimista. Es para la persona que no deja que el dolor, la pena o los errores del pasado lo definan; para la persona que está dispuesta a aceptar el fracaso y que lo usará como una herramienta de motivación para mejorar.

Mencioné muy al principio cuando me presenté que Forever Fe es sobre tener la mentalidad de campeones, sobre convertirte en la mejor versión de ti mismo en cada área de tu vida. Hay muchas áreas, la espiritual, por supuesto, pero también la física, la mental, la emocional, la social y la financiera. Y lo importante es poner a DIOS primero porque DIOS *es* el campeón por excelencia.

Una vez que tengas la mentalidad de un campeón, cada área de tu vida mejorará. En lugar de ver problemas, verás retos. Y los retos son sencillamente peldaños a soluciones. En lugar de frustrarte o enfadarte cuando algo va mal, la mentalidad de campeones encuentra la respuesta, pide ayuda, lidia con la situación y sigue adelante.

Recientemente recibí un mensaje de un compañero de prisión. Me recordó que habíamos estado juntos en la cárcel del condado de la ciudad de Oklahoma, donde lo animé a ejercitarse. Un amigo le compartió lo que DIOS estaba haciendo en mi vida. Escribió que se comunicaba conmigo porque todos en la cárcel tienen sueños, pero yo hice el mío realidad. Quería saber cómo podía hacer lo mismo.

Mi respuesta para él es la misma que te doy a ti. Todo se resume en la fe. Como dije en el principio, si la fe pudo salvar mi vida, a ti también te puede salvar. Si la fe pudo hacer que los sueños que DIOS me dio en la prisión se hicieran realidad, puede hacer lo mismo por ti.

Solo requiere un poco de fe. De hecho, Jesús una vez dijo que si tenemos una fe no más grande que una semilla de mostaza, podemos mover montañas. Una semilla de mostaza es bastante pequeña, así que imagina lo que la fe del tamaño de una montaña puede hacer.

Una fe con la mentalidad de un campeón.

Forever Fe.

¡Solo                                                            cree!

# SOBRE LOS AUTORES

Abe Cruz es un exitoso empresario, reconocido atleta y orador motivacional. Es fundador y presidente de *Forever Faith*, empresa a través de la cual lleva su mensaje de esperanza e inspiración a través de productos de fitness, ropa y eventos, alcanzando a millones de personas en todo el mundo. Para saber más, visita **www.foreverfaith.com**.

La galardonada autora y periodista de investigación Jeanette Windle ha vivido y trabajado en Norteamérica, Centroamérica y Sudamérica, y ha visitado más de cuarenta países en cinco continentes. Sus experiencias han servido para dar a luz a más de veintiún libros de ficción y no ficción, entre los cuales están *Forgiven*, la historia de Terri Roberts y la masacre de la escuela amish, y *All Saints*, ahora una película de Sony.

# www.FOREVERFAITH.com

## MENTE DE CAMPEONES

# www.FOREVERFAITH.com

## MENTE DE CAMPEONES

Made in the USA
Middletown, DE
28 October 2021

51120192R00139